LA RELATION D'AIDE

Éléments de base

et guide de perfectionnement

 **gaëtan morin éditeur**
C.P. 180, BOUCHERVILLE, QUÉBEC, CANADA
J4B 5E6   TÉL. : (514) 449-2369   TÉLÉC. : (514) 449-1096

ISBN 2-89105-383-4

Dépôt légal 3e trimestre 1990
Bibliothèque nationale du Québec
Bibliothèque nationale du Canada

LA RELATION D'AIDE — éléments de base et guide
de perfectionnement, 3e édition
© gaëtan morin éditeur ltée, 1990
© Éditions du Méridien, 1986
© Éditions du Méridien, 1982
Tous droits réservés

1 2 3 4 5 6 7 8 9 0   G M E 9 0   9 8 7 6 5 4 3 2 1 0

Jean-Luc Hétu

LA RELATION D'AIDE

Éléments de base

et guide de perfectionnement

 gaëtan morin
éditeur

Avant-propos

Les deux premières éditions de ce volume ont permis à plusieurs milliers de personnes de s'initier à la pratique de la relation d'aide, ou d'accroître leur efficacité comme aidantes semi-professionnelles.

En voici une troisième version, qui a été pratiquement réécrite au complet, et où de nombreux passages qui n'étaient pas indispensables ont été remplacés par des indications plus pratiques sur différents enjeux au plan de l'intervention.

Beaucoup de ces changements m'ont été inspirés par ma pratique de formateur, ou encore par la lecture de textes écrits par des spécialistes.

Je suis convaincu que cette troisième édition y a gagné en clarté et en précision, à la fois au plan de l'éclairage théorique et au plan des indications pratiques. Et à tous et à toutes, je souhaite une utilisation agréable et profitable de ce petit guide de formation.

Jean-Luc Hétu

Le 1er août 1990

Table des matières

CHAPITRE 1

Ce qu'aider veut dire

De la naissance à la mort, nous sommes des êtres complexes, et les situations dans lesquelles nous nous retrouvons le sont parfois aussi. Pensons à certains problèmes de couple, à la question de l'encadrement des adolescents, à l'attitude à prendre face à des parents âgés en perte d'autonomie et qui insistent pour demeurer dans leur logement, etc.

Il arrive souvent par ailleurs que les décisions que nous prenons, aussi bien que celles que nous négligeons de prendre, déterminent pour une bonne part la qualité de notre vie pour des périodes plus ou moins longues.

La pertinence de ces décisions dépend en bonne partie des informations dont nous disposons, et elle dépend également d'autres facteurs comme notre jugement et notre flexibilité mentale. À partir des mêmes informations en effet, certains sujets prennent de meilleures décisions que d'autres.

Certaines de ces informations sont objectives, c'est-à-dire qu'elles portent sur des faits, des dates, des montants d'argent, etc. Mais les informations subjectives ont souvent un rôle important à jouer dans nos prises de décision. Et ces informations d'ordre subjectif, on les obtient en se posant les questions suivantes: comment est-ce que je me sens face à la situation? comment est-ce que je vais me sentir si j'opte pour tel ou tel scénario?

Les décisions que nous prenons sont aussi déterminées par les perceptions que nous avons de nous-mêmes et de notre environnement. Nous agissons en effet en bonne partie non pas à partir de la réalité telle qu'elle est, mais à partir de la perception subjective que nous nous en faisons.

Cette perception peut être plus ou moins valide, et affecter dès lors la validité de la décision qui en découlera. Une personne qui se connaît mal, qui a par conséquent une perception peu réaliste d'elle-même, et qui a une perception déformée de son environnement, prendra évidemment des décisions peu susceptibles de lui convenir.

C'est ici que la question de la relation d'aide entre en scène. Nous sommes souvent impliqués dans la façon dont nos proches entretiennent leurs perceptions et prennent leurs décisions. Monsieur dit par exemple: «Je ne serai jamais capable de faire ça», et Madame lui répond: «Il me semble que oui, tu l'as fait l'an passé». Ou Madame dit: «Il me semble que je vais faire ça...», et Monsieur répond: «As-tu pensé à ce qui va arriver si tu fais ça?»

Notre implication face à nos proches se fait pour le meilleur et pour le pire, étant parfois aidante, parfois nuisible et parfois simplement inefficace. Cette implication est aidante lorsqu'elle facilite l'accès aux informations subjectives que sont les sentiments, et qu'elle permet au sujet de clarifier ses perceptions.

Cette implication est nuisible lorsqu'elle concourt à brouiller les informations et les perceptions d'autrui, et elle est inefficace lorsqu'autrui ne voit pas plus clair après notre intervention qu'avant.

Or, il est possible d'augmenter l'efficacité de notre implication à l'endroit des personnes qui se confient à nous, et par voie de conséquence, de contribuer à augmenter leur qualité de vie. Ceci se fera par la pratique éclairée de la relation d'aide.

UN COUP D'OEIL SUR L'AIDANT

Pour cerner le rôle de l'aidant, on parle souvent d'écoute active. Essayons de voir ce dont il s'agit. Le verbe écouter vient du vieux français *escolter* et du latin *auscultare*, qui veut dire *écouter avec attention*, tandis qu'*audire* peut signifier *écouter distraitement*.

Un bon aidant n'est donc pas un simple auditeur, mais il est un *auscultant*, c'est-à-dire, selon le dictionnaire, quelqu'un qui «explore les bruits de l'organisme» de son aidé. (Nous parlons bien entendu ici de l'organisme psychique.)

Le dictionnaire peut nous aider encore plus, car au mot *écoute*, il indique comme vieux sens: guetteur, sentinelle. Pratiquer l'écoute active, c'est donc se situer dans un rôle d'éclaireur et être aux aguets. Noter incidemment l'origine du mot *scout*: la mission de l'éclaireur est d'aller écouter attentivement le milieu où il est envoyé en reconnaissance.

C'est ce qui amènera Carl Rogers, le célèbre théoricien et praticien de la relation d'aide, à déclarer que l'empathie est «un processus extrêmement actif, une intense exploration de la forme et de la saveur des sentiments de l'aidé» (Rogers et Sanford, 1985, p. 1379).

Cette réflexion nous ramène à l'image de l'auscultant qui «explore les bruits de l'organisme». Mais pour être en mesure d'explorer, il faut avoir une idée de ce que l'on cherche, ou du moins de l'endroit où il faut regarder pour avoir une chance de trouver quelque chose.

Le médecin sait où placer son stéthoscope pour recueillir les informations pertinentes. Ausculter c'est explorer, mais l'exploration n'est pas une activité qui se fait au hasard. Le Petit Robert dit qu'explorer, c'est «parcourir en étudiant avec soin», et qu'étudier, c'est «chercher à connaître et à comprendre».

Combs et Avila (1985, p. 134) décrivent ainsi l'écoute aidante comme «une recherche active de sens». Nous reviendrons plus loin sur ce défi qui est posé à l'aidant de comprendre le vécu de son aidé, notamment lorsque nous aborderons la question du diagnostic. Mais nous pouvons soupçonner dès maintenant qu'aider quelqu'un, c'est plus que se borner à l'écouter, fût-ce attentivement, c'est plus que «le laisser parler». Il est vrai que l'aidé a souvent besoin qu'on le laisse parler. Mais il s'attend souvent à plus de la part de son aidant.

L'aidant n'est pas seulement quelqu'un qui écoute et qui cherche à comprendre, c'est aussi quelqu'un qui intervient. Le Petit Robert définit l'intervention comme le fait de «prendre part à une affaire en cours dans le but d'influer sur son déroulement». Le psychologue Carkhuff (1983) dit en ce sens qu'une intervention est à la fois une réponse et une initiative. Elle est une réponse à une situation concrète vécue par une personne confrontée à des besoins, et elle est une initiative visant à contribuer à répondre à ces besoins.

Un bon aidant entend respecter la liberté de son aidé, mais un bon aidant cherche néanmoins à avoir un impact sur cet aidé. Ce dernier ne veut pas nécessairement qu'on lui dise quoi faire ni comment penser, mais il veut que quelque chose se passe, il veut que la personne à laquelle il se confie intervienne efficacement pour l'aider à avancer vers la solution de son problème.

L'aidé se présente en effet avec différents besoins, que l'on peut réduire à trois. Il a d'abord besoin de se dire, de s'exprimer, de prendre contact avec les sentiments qui l'habitent et de laisser sortir la vapeur. Il a ensuite besoin de comprendre ce qui lui arrive et pourquoi il réagit comme il le fait. Et il a enfin besoin de se prendre en charge, c'est-à-dire de mobiliser ses ressources pour modifier son comportement problématique ou pour modifier le cours de sa vie.

Ceci permet d'en arriver à une définition plus précise et plus complète de la relation d'aide. Aider quelqu'un, ce sera donc s'engager avec lui dans une séquence d'interactions verbales et non verbales, dans le but de lui faciliter l'expression, la compréhension et la prise en charge de son vécu.

TROIS PRÉAMBULES

Avant d'aborder la dynamique même de la relation d'aide, formulons quelques réflexions dans le but de préciser l'état d'esprit dans lequel il convient d'aborder cette expérience.

La première réflexion porte sur les limites de notre intervention, et elle est à l'effet qu'il n'y a aucun déshonneur à s'avérer impuissant à refaire les gens. Même après des années d'efforts, les thérapeutes les plus expérimentés réussissent rarement ce tour de force.

L'aidant qui se fixerait comme objectif de toujours améliorer d'une façon sensible le niveau de fonctionnement de ses aidés risquerait donc de fréquents échecs, et par conséquent autant de douloureuses éraflures à son image de soi. Pour qui a acquis un brin de philosophie par contre, cette impuissance relative à éviter à autrui la douleur et l'échec sera perçue comme faisant partie du mystère de la condition humaine. Une telle personne sera ainsi en mesure de continuer à s'impliquer dans le rôle d'aidant sans se sentir indûment inadéquate.

Dans le prolongement de la première, la seconde réflexion vise à élargir les perspectives dans lesquelles l'aidant intervient. Dans la grande thérapie de la vie, beaucoup d'événements concourent à façonner l'identité de tout un chacun, et à l'amener à mobiliser le meilleur de lui-même, au fil des requêtes du quotidien. Pensons ici au défi de la durée du couple, à l'apprentissage de la maternité et de la paternité au fil de la croissance des enfants, aux défis du travail, à l'accompagnement des parents âgés jusqu'à leur mort, à la gestion des inévitables crises de la vie...

Cette thérapie de la vie permet à chacun de se découvrir et de déployer ses ressources pour naviguer au mieux, et ceci, la plupart du temps sans l'intervention de thérapeutes formels et à partir du soutien des aidants naturels que sont les membres de la famille et les amis.

Ces considérations permettent à l'aidant de se percevoir comme une ressource d'appoint, passagère et limitée, et non pas comme l'unique responsable de l'accompagnement du sujet.

La première réflexion portait sur l'impossibilité de refaire les gens. La troisième réflexion ouvre des perspectives plus encourageantes. Dans le domaine de la relation d'aide, il arrive souvent qu'un petit coup de pouce puisse aider beaucoup. Il suffit parfois d'un simple mot qui vient identifier un sentiment demeuré jusqu'ici non reconnu, pour que le paysage se clarifie soudainement, et que l'action à entreprendre émerge tout naturellement.

Les choses ne sont évidemment pas toujours aussi simples, et la période d'exploration et de confusion peut se prolonger laborieusement. Mais encore ici, chaque coup de pouce peut s'avérer fort précieux pour qui regarde les choses avec un certain recul.

Cette considération est particulièrement importante pour ceux et celles qui pratiquent la relation d'aide informelle. Contrairement aux thérapeutes professionnels qui revoient régulièrement leurs aidés à raison d'une heure par semaine, les aidants informels ou semi-formels interviennent souvent sur le terrain, dans une chambre de centre d'accueil ou d'hôpital, dans une cafétéria ou au téléphone, quand ce n'est pas dans un corridor...

Dans ces conditions où les perspectives de continuité se trouvent forcément réduites, il importe de demeurer conscients du fait que nous ne sommes pas les seules personnes susceptibles d'intervenir auprès de ces aidés. Ces personnes disposent habituellement d'un réseau naturel de soutien, et elle sont souvent en contact avec d'autres intervenants. Au gré de leur cheminement, elles interagiront donc avec d'autres aidants qui prendront la relève et leur feront faire un autre bout de chemin. Et si nous avons su être attentifs et actifs, certaines de nos interventions contribueront à faire bouger des choses en elles, même si nous devions ne plus les revoir.

Ajoutons enfin que l'aspect pénible du sentiment d'impuissance que l'aidant peut éprouver face à la misère d'autrui se trouve souvent compensé par la gratification profonde qu'il ressent d'être appelé à devenir un témoin privilégié des inquiétudes, des regrets et des espoirs de son aidé, ainsi que du courage que ce dernier manifeste face à sa situation.

Lorsqu'une personne nous invite à nous situer face à elle dans le rôle d'aidant, elle se prépare souvent à nous faire des confidences qu'elle n'a faites à personne jusqu'ici. Elle se prépare en plus à paraître devant nous dans toute sa vulnérabilité, fût-ce au prix de résistances bien compréhensibles.

Ces moments de grande vérité qui nous sont partagés sont en fait un privilège qui nous est accordé. C'est alors à nous de recevoir ce don avec respect et gratitude, et d'y réagir avec le meilleur de ce que nous sommes.

CHAPITRE 2

Exploration des types
d'intervention

Le présent chapitre consiste en un exercice qui peut être fait individuellement ou en partie individuellement et en partie en groupe. Cet exercice poursuit trois objectifs:

— habituer l'aidant à distinguer entre différents types d'intervention;

— faire réfléchir sur la pertinence relative de ces différents types;

— donner à l'aidant une idée sommaire de son propre style d'intervention.

Un quatrième objectif viendra s'ajouter plus loin, soit le développement de la capacité de faire un diagnostic.

Le lecteur qui ne désirerait pas faire cet exercice pourrait passer tout de suite à la page 21.

DIRECTIVES

Première étape (individuellement)

Cet exercice présente aux pages 12 et suivantes les premiers mots prononcés par huit personnes différentes qui se présentent pour une relation d'aide. Dans chaque cas, il s'agit de choisir, parmi neuf interventions, celle qui semble la plus adéquate, et de l'inscrire sur la première ligne de la grille de la page 13 (ligne indiquée par une flèche). Ne choisir qu'une seule réponse par cas, même si on hésite entre deux.

Deuxième étape (en groupe)

Lorsque l'exercice est fait en groupe, tout le groupe peut maintenant revenir au cas #1 et essayer de décrire en quelques mots ce que l'aidant essaie de faire dans chacune des neuf interventions.

Le formateur anime l'échange et compare pour chaque intervention la brève définition qui est donnée par le groupe et celle qui est présentée à la page 68. (Attention. Ne pas se reporter tout de suite à cette page).

Après que les participants se sont entendus sur une façon de nommer la première intervention, ils écrivent ce nom dans l'espace prévu à cet effet sur leur grille, et écrivent le numéro de l'intervention correspondante dans la colonne du premier cas, comme suit:

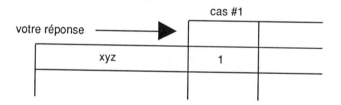

Figure 1: *L'identification des interventions*

Les participants peuvent ensuite s'interroger brièvement sur la valeur de ce type d'intervention: est-il utile, y a-t-il des cas où il peut être dangereux ou contre-indiqué et pourquoi...

On passe ensuite à la deuxième réponse du cas #1, on essaie d'identifier ce type d'intervention puis on l'apprécie brièvement, etc.

Troisième étape (individuellement)

Les huit principaux types d'intervention sont maintenant identifiés et sommairement définis et appréciés. Chaque participant muni de sa grille se reporte au cas #2 et essaie d'identifier à quel type d'intervention correspond chacune des neuf réponses qui apparaissent sur cette page, en les inscrivant dans la rangée appropriée, comme suit:

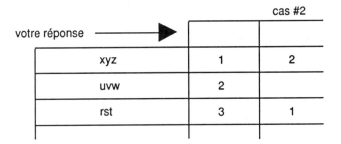

Figure 2: *Premier exemple*

Dans cet exemple, le sujet a décidé que la première réponse du cas #2 était une intervention de type rst et que la deuxième réponse était de type xyz.

Quatrième étape (en groupe)

Lorsque tous les participants (ou la majorité d'entre eux) ont terminé cette tâche, on vérifie si le réponses données par les participants correspondent à celles qui figurent dans la grille de la page 69. On peut aussi évaluer brièvement au passage la pertinence de chaque réponse.

Cinquième étape (individuellement)

Enfin, une fois qu'on est en présence de la grille personnelle corrigée à partir de celle de la page 69, chaque participant peut encercler dans chaque colonne de sa grille la réponse qu'il avait choisie pour ce cas-là. Exemple:

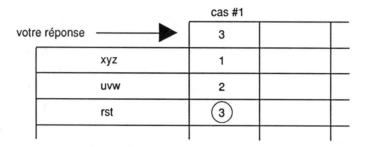

Figure 3: *Deuxième exemple*

Si plusieurs réponses encerclées se retrouvent sur une même ligne, ceci renseigne le participant sur le type d'intervention qu'il est porté à privilégier.

Voici maintenant les huit cas, ainsi que la grille personnelle, qu'il faut détacher du livre.

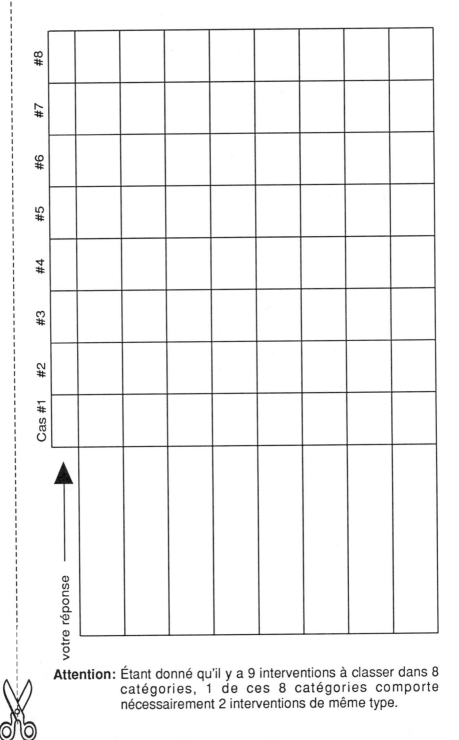

Attention: Étant donné qu'il y a 9 interventions à classer dans 8 catégories, 1 de ces 8 catégories comporte nécessairement 2 interventions de même type.

CAS #1

Il va falloir que je déménage dans une résidence un jour. Je me suis mise sur la liste d'attente. Quand ils vont m'appeler, il va falloir que je vende ma maison. Mais je ne me vois pas en train de déménager...

1. Ça ne sera pas facile de partir, quand le temps sera venu...

2. Je comprends. Mais ça ne vous donne rien de vivre dans le futur. Il faut que vous viviez dans le présent sans vous tracasser pour rien.

3. Avez-vous pensé à faire des contacts préalables avec un agent d'immeuble?

4. Comment vous sentez-vous, face à l'idée de déménager?

5. Oh! ne vous en faites pas. Vous verrez que quand le temps sera venu, vous serez bien contente de ne plus avoir à vous occuper d'une grande maison.

6. Combien de temps ça peut prendre avant qu'un logement se libère à la résidence?

7. Quitter la maison à laquelle on est habitué, c'est un peu comme si on mourait. Est-ce que c'est ça le raisonnement que vous vous faites?

8. Il y a bien des gens qui vivent dans leur logement jusqu'à leur mort. Pourquoi dites-vous que vous allez être obligée de partir?

9. Vous trouvez qu'il n'est pas trop tôt pour commencer à vous apprivoiser à l'idée de devoir partir un jour.

CAS # 2

Ma fille qui est divorcée sort avec un homme marié. J'ai toujours fait confiance à son jugement, mais là, je sens qu'il faut que j'intervienne. Je ne peux pas laisser passer ça...

1. Jusqu'ici, vous avez respecté sa liberté, mais cette fois-ci, votre conscience vous demande d'intervenir...

2. En effet, il y a des situations comme celle-là où il faut avoir le courage de ses convictions.

3. Pensez-vous que vous êtes la mieux placée pour intervenir, ou est-ce qu'elle a une soeur ou un frère en qui elle a vraiment confiance?

4. Je trouve ça bon que vous soyez venue me parler. Je suis sûre qu'ensemble, on peut trouver une façon de résoudre votre problème.

5. Vous devez vous dire que les Commandements de Dieu, c'est bon pour tout le monde et que notre fille reste toujours notre fille. C'est pour ça que vous vous sentez obligée d'intervenir.

6. Cette fois-ci, vous vous dites qu'elle ne doit plus avoir tout son jugement...

7. Est-ce que vous savez comment ça va, dans le ménage de cet homme-là?

8. Si votre fille était devant vous présentement, assise à ma place, qu'est-ce que vous auriez le goût de lui dire?

9. Vous sentez qu'il faut intervenir, mais en même temps, vous n'êtes pas tout à fait décidée...

CAS #3

Quand je me retrouve dans un grand groupe, c'est pas long que je me sens mal à l'aise. Avec quelques amis, ça va. Je me sens spontané et en confiance. Mais dans un grand groupe, c'est tout le contraire. Qu'est-ce que je peux faire?

1. As-tu déjà pensé à faire un exercice de détente avant de te retrouver dans cette situation? Par exemple, prendre des grandes respirations et te dire que tout va bien aller?

2. T'es-tu toujours senti comme ça ou est-ce que c'est récent?

3. Peux-tu me dire quels sont les risques physiques ou psychologiques que tu cours, dans cette situation?

4. Dans le travail que tu te proposes de faire, c'est important d'être à l'aise et efficace en groupe. N'aie pas peur de foncer et de te faire une place.

5. Peux-tu prendre un exemple précis où tu t'es retrouvé mal à l'aise dans un grand groupe, récemment?

6. Est-ce que ça se pourrait que ce soit important pour toi d'être toujours bien accepté, ce qui t'amènerait à craindre d'être rejeté par le groupe si tu ne dis pas la bonne chose?

7. Tu me donnes tous les signes d'un garçon en santé. J'ai l'impression que tu devrais pouvoir te sortir assez facilement de ce problème-là.

8. Dans un grand groupe, tu deviens vite inconfortable.

9. Quand il y a plus de trois ou quatre personnes autour de toi, tu te sens observé et cela te bloque.

CAS #4

J'ai une fille de huit ans qui a recommencé à mouiller son lit. Je n'aime pas ça. D'autant plus qu'avec mon nouveau travail, je n'ai pas le temps de laver des draps trois ou quatre fois par semaine.

1. Ce n'est pas agréable de se retrouver avec un bébé. Il faut lui faire comprendre qu'elle est une grande fille maintenant.

2. Pensez-vous qu'en la réveillant pour l'amener à la toilette dans le milieu de la nuit, ça pourrait l'aider?

3. Moi je verrais ça comme une demande d'attention qu'elle vous fait, vu que vous êtes moins présente à cause de votre travail. Est-ce que ça se peut?

4. C'est probablement juste un ajustement passager à votre nouveau travail. Ça devrait se passer d'ici quelque temps. Je ne pense pas qu'il y ait de quoi s'inquiéter.

5. Vous dites: «Je n'aime pas ça.» Vous n'aimez pas laver plus de draps, ou vous n'aimez pas constater que votre fille est affectée par votre nouveau travail?

6. Est-ce votre seule fille ou si vous avez d'autres enfants à la maison?

7. Ce que je comprends, c'est que le comportement de votre fille vous contrarie.

8. Est-ce qu'on pourrait regarder de plus près ce qui se passe entre votre fille et vous?

9. Votre nouveau travail, est-ce que cela dérange vos nuits à vous aussi?

CAS #5

Mon gendre est concierge à la polyvalente. L'autre jour, il était fier de m'apporter dix livres de café-filtre qu'il avait «sorties» de la cuisine des profs. Sur le coup, je n'ai rien dit, mais à chaque fois que je regarde ce café-là dans l'armoire, je me sens un peu croche. Je me demande ce qu'il va m'apporter la prochaine fois...

1. C'est embêtant de refuser un cadeau, même quand c'est un cadeau volé...

2. Le jour où il va vous apporter l'auto du directeur, qu'est-ce que vous allez faire?

3. Mais le fait que vous n'ayez rien dit la première fois, ça l'encourageait à continuer. Vous auriez dû réagir dès le début.

4. Pourriez-vous trouver une façon de soulager votre conscience, par exemple en donnant un montant équivalent à des gens dans le besoin?

5. Je comprends. Il y en a qui ont la conscience large! Je gage que votre gendre vous trouverait scrupuleux si vous lui exprimiez votre malaise.

6. Est-ce que votre gendre fait ça avec beaucoup de monde ou seulement avec vous?

7. C'est comme si votre gendre vous forçait à vivre selon ses valeurs, en faisant abstraction des vôtres. C'est probablement pour ça que vous vous sentez mal.

8. Quand vous dites que vous vous sentez croche de voir ce café-là dans l'armoire, qu'est-ce que vous voulez dire au juste?

9. Vous vous sentez à la merci de son prochain mauvais coup.

CAS #6

J'ai un garçon de 36 ans qui m'a demandé de l'argent pour s'acheter une auto. Ça fait un an que je lui dis de se chercher du travail. Là, son chômage est fini et d'après lui, sans auto il ne peut pas se trouver du travail.

1. J'espère que vous ne vous laisserez pas endormir par ses histoires. S'il veut vraiment travailler, qu'il prenne l'autobus comme tout le monde!

2. Qu'est-ce que vous auriez le goût de lui dire, si vous ne vous reteniez pas?

3. Il y aurait peut-être possibilité d'endosser un emprunt pour lui à la banque. Comme ça, ça serait à lui à remettre l'argent.

4. C'est pas facile d'avoir des enfants qui ne vous donnent pas l'impression de se prendre en main.

5. Est-ce que votre garçon a un métier?

6. Au fond, vous vous sentez un peu manipulé...

7. D'après moi, vous vous sentez encore responsable de lui. C'est pour ça que sa demande vous préoccupe tellement.

8. Donc, il va l'avoir, son auto?

9. C'est frustrant d'avoir un garçon comme ça.

CAS #7

Ça fait des années que je me demande si je ne devrais pas soustraire de mes impôts au fédéral la part qui va aux armements. Mais je n'aime pas l'idée de faire de la prison à mon âge, parce que c'est bien sûr que même si j'étais poursuivi, je refuserais de payer.

1. D'après vous, c'est quoi l'âge idéal pour faire de la prison?

2. Je ne suis pas sûr d'aimer votre idée. Il me semble que les jeunes ont plutôt besoin de voir leurs aînés avoir du respect pour la loi.

3. Je me demande si votre député fédéral n'aurait pas des suggestions intéressantes à vous faire à ce sujet. Avez-vous pensé à lui en parler?

4. Ça peut représenter quel montant, à peu près?

5. Si vous vous posez ce genre de question, ça veut dire que vous êtes rendu pas mal plus loin que la moyenne des gens dans le développement de votre sens moral.

6. Comment vous réagiriez si le juge vous condamnait à deux mois de prison?

7. Je me retrouve beaucoup dans votre questionnement. Vous savez, vous n'êtes pas seul à vous poser cette question-là.

8. La seule chose qui vous empêche de passer à l'action, c'est l'idée de passer quelque temps derrière les barreaux...

9. Savez-vous s'il y a des contribuables qui ont déjà eu des problèmes avec l'impôt pour avoir fait ça?

CAS #8

On a un garçon de 22 ans qui est décrocheur et qui vit encore chez nous. Il nous emprunte de l'argent de poche deux ou trois fois par semaine, il amène ses amis bouffer à la maison et écouter de la grosse musique à n'importe quelle heure... On se demande combien de temps ça va durer.

1. Vous avez parfois le goût de le mettre dehors, mais vous n'osez pas vous l'avouer clairement.

2. C'est frappant combien certains jeunes peuvent être profiteurs!

3. Je gage que c'est la peur de vous sentir coupable qui vous fait endurer la situation.

4. Êtes-vous au courant qu'il existe des programmes du gouvernement pour les raccrocheurs?

5. Est-ce que votre garçon a déjà manifesté l'idée de s'en aller en appartement?

6. Même si c'est votre garçon, ça finit par être pesant à la longue...

7. Comment vous vous sentez présentement, de me dire tout ça sur lui?

8. Même si c'est votre garçon, ça finit par être pesant à la longue...

9. Il est sorti du système, mais il n'a pas encore eu le courage de sortir du nid familial!

CHAPITRE 3

Vers un modèle de la relation d'aide

Le Chapitre 1 nous a introduits à l'essentiel de la relation d'aide, qui est une démarche d'écoute active. Mais pour être en mesure de développer les différentes habiletés qui font un bon aidant, il faut se donner une représentation plus précise de la dynamique de cette écoute.

Le présent chapitre présente un modèle de la relation d'aide, c'est-à-dire une représentation graphique des éléments en cause et de leurs interactions. Le Chapitre 11 complétera la présentation de ce modèle. Pour l'instant, nous partirons de ce que Kennedy (1980, pp. 91-102) présente comme les éléments de base de cette démarche.

1. Pour être efficace, l'aidant a besoin de percevoir les dynamiques sous-jacentes au comportement de l'aidé.

2. Cette perception s'opère de deux façons. D'une part, en captant les messages affectifs que l'aidé envoie, et d'autre part en dégageant une interprétation psychologique de ces messages.

3. Ayant capté et compris ce que l'aidé est en train de vivre, l'aidant est alors en mesure de répondre à ce qui lui est communiqué.

4. Cette réponse émise par l'aidant déclenchera normalement une réaction de la part de l'aidé, ce qui activera ainsi l'interaction exploratoire qui est l'essence même de la relation d'aide.

La figure suivante exprime cette dynamique:

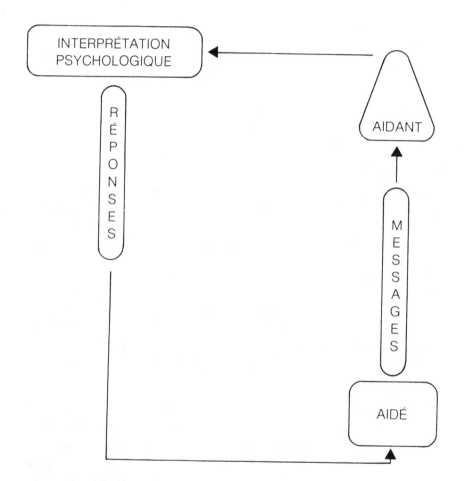

Figure 4: *La relation aidant-aidé*

Ce modèle peut sembler simpliste à première vue, comme si aider quelqu'un se résumait à lui communiquer l'analyse qu'on a faite de son problème. Le processus requiert en fait beaucoup plus d'empathie, c'est-à-dire de capacité de saisir le vécu d'autrui en se plaçant dans son univers à lui. (Nous illustrerons en appendice différents degrés de compréhension empathique.)

L'aidant doit devenir une caisse de résonance dans laquelle l'expérience de l'aidé viendra se répercuter. Kennedy (1980, p. 95) écrit ainsi: «L'individu résonne sur un certain ton; entendant ce ton sans l'augmenter ni le diminuer, nous pouvons alors comprendre avec la précision qui informe prudemment notre jugement.» Il faut donc ajouter cette caisse de résonance au modèle présenté plus haut.

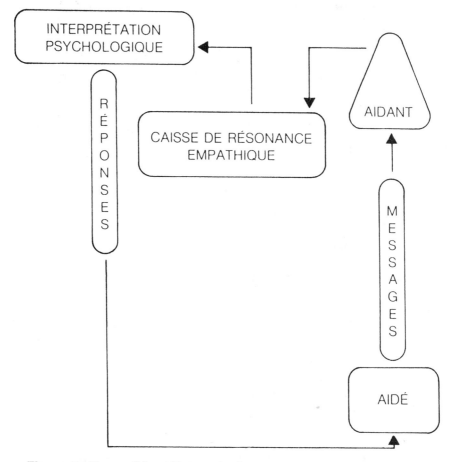

Figure 5: *L'empathie et l'interprétation*

Cette figure met bien en évidence les deux ressources majeures dont l'aidant dispose pour accomplir sa tâche. Il s'agit d'une part de sa sensibilité ou de son empathie qui lui permet de percevoir le vécu de l'aidé, et d'autre part de ses connaissances psychologiques qui lui permettront au besoin de dégager la signification de ce vécu.

LA QUESTION DE L'EMPATHIE

Il nous faut regarder de plus près le phénomène central de l'empathie, que nous avons définie sommairement plus haut comme une habileté, c'est-à-dire comme la «capacité de saisir le vécu d'autrui en se plaçant dans son univers à lui».

Il s'agit en fait d'une habileté qui possède plusieurs dimensions, impliquant par conséquent différentes sous-habiletés. L'empathie comporte une dimension affective: l'aidant doit sentir ce que l'aidé éprouve. Et elle comporte également une dimension cognitive, l'aidant devant identifier la signification de ce qui est éprouvé par l'aidé.

L'aidant doit aussi communiquer ce qu'il éprouve lorsqu'il se situe à l'intérieur de l'univers de l'aidé, ce qui se fait par la formulation des reflets. Les trois sous-habiletés constituant l'empathie sont donc de sentir, d'identifier et de communiquer ce qu'on a saisi.

L'EMPATHIE ET LA SYMPATHIE

Une analyse un peu plus poussée nous permettra de situer l'empathie par rapport à la sympathie. Il arrive souvent que l'on oppose ces deux réalités, comme si la sympathie était mauvaise et que seule l'empathie était désirable. Mais les choses ne sont pas aussi simples, et Travelbee (1964, pp. 68-71) s'est insurgée à juste titre contre une telle opposition, dans un article intitulé avec à propos: *Quel est le problème avec la sympathie?*

Il est vrai que la racine grecque de ces deux mots diffère quelque peu, empathie signifiant «sentir de l'intérieur», et sympathie signifiant «sentir avec». Mais dans les deux cas, il s'agit pour l'aidant de ressentir ce que l'aidé peut éprouver, en se faisant totalement accueillant au vécu de ce dernier.

Barrett-Lennard (1981, cité par Gladstein, 1987, p. 3) parle ainsi de résonance empathique, dans laquelle l'aidant «répond émotivement» à ce que l'aidé ressent. Un aidant qui serait incapable de sympathiser avec son aidé, c'est-à-dire de vibrer émotivement au vécu de ce dernier, serait par le fait même incapable d'empathie, puisqu'il ne se passerait rien dans sa caisse de résonance empathique. Par voie de conséquence, cet aidant ne serait même pas en mesure de faire de reflets.

Le problème n'est donc pas de ressentir provisoirement ce que l'aidé éprouve. Le problème serait de ne pas réaliser que l'empathie est un processus, impliquant une habileté spécifique pour chacune de ses composantes. Nous avons distingué plus haut trois de ces composantes, soit le fait de sentir, le fait d'identifier ce qui est ressenti, et le fait de communiquer ce qui est identifié.

À ces trois composantes il faut en ajouter une quatrième, qui consiste à capter la façon dont l'aidé réagit à ce qui lui est reflété. Après avoir senti, identifié et reflété, l'aidant doit donc vérifier l'impact de ce reflet, ce qui peut l'amener à amorcer une autre boucle empathique (sentir, identifier, communiquer et vérifier...).

Le problème n'est donc pas que l'aidant soit sympathique, qu'il vibre au vécu de l'aidé. Le problème serait qu'il ne soit que cela, oubliant d'identifier, de communiquer et de vérifier. Il ne resterait alors à cet aidant qui ne serait que sympathique, qu'à encourager son aidé et à lui trouver une solution à son problème, ce qui n'est pas toujours pertinent, comme on le verra plus loin. Mais revenons pour l'instant au modèle de la Figure 5.

CONNAISSANCES EN PSYCHOLOGIE ET CONNAISSANCES PROFESSIONNELLES

Il manque encore un élément important à ce modèle, qui s'adresse à des intervenants aussi diversifiés que des infirmières et des médecins, des avocats et des notaires, des animateurs de pastorale, des criminologues, des enseignants...

Plusieurs de ces personnes éprouvent le besoin d'acquérir des habiletés dans la relation d'aide parce qu'elles désirent tenir compte du facteur humain dans leurs interventions professionnelles. Mais elles ont en même temps un champ de compétence propre, et les besoins de leurs clients ou de leurs patients sont souvent reliés à cette expertise qu'ils possèdent, que ce soit dans le domaine de la santé, de la loi, de la religion...

Comme cette expertise doit souvent intervenir à un moment donné du processus de relation d'aide, il faut préciser selon quelles modalités cela se fera. Imaginons par exemple le dialogue suivant entre un avocat et son client.

Client: Je pense que je veux entreprendre des procédures de divorce. Ça fait longtemps que j'y pense et les choses ne s'améliorent pas.

Avocat: Quand une personne s'exprime comme vous le faites, c'est d'habitude parce qu'elle n'est pas vraiment décidée. Est-ce que je me trompe?

Client: Je ne sais pas. C'est difficile de me décider. Qu'est-ce que vous en pensez?

Avocat: Vous avez l'impression qu'en connaissant mon point de vue, vous allez voir plus clair?

Si l'on se reporte au modèle présenté plus haut, on peut voir que pour sa première intervention, l'avocat est allé puiser dans son réservoir de connaissances psychologiques pour formuler une interprétation. Nous consacrerons le Chapitre 12 à la question de l'interprétation. Mais on peut déjà faire l'hypothèse qu'après avoir écouté son client, l'avocat a fait appel aux connaissances psychologiques qu'il a accumulées sur le fonctionnement des humains en général, et qu'il a aussi utilisé le concept psychologique d'ambivalence pour saisir le vécu actuel de son client. Ce n'est qu'à la suite de ces opérations mentales qu'il a été en mesure de faire son intervention.

Quant à sa seconde intervention, elle a découlé plus directement de sa caisse de résonance empathique: «Je sens que cette personne vit du désarroi et qu'elle me demande de la sortir du pétrin».

Mais cet avocat possède en plus un savoir et une expérience dans le domaine légal, qu'il doit évidemment mettre à contribution à un moment ou l'autre de l'entretien avec son client. C'est pourquoi sa troisième intervention pourrait prendre la forme suivante:

Client: Dites-moi si je ferais bien de demander le divorce.

Avocat: Les grosses questions, c'est habituellement la garde des enfants et la répartition des biens familiaux. On pourrait regarder d'abord la question des enfants, et regarder ensuite ce que dit la loi. Est-ce que ça vous convient?

Au modèle de Kennedy, il faut donc ajouter un autre élément, que l'on pourrait appeler le réservoir de connaissances professionnelles. Ce faisant, on rejoint l'approche du psychologue québécois Yves Saint-Arnaud (1979a et 1979b), qui présente un modèle que l'on pourrait illustrer comme suit.

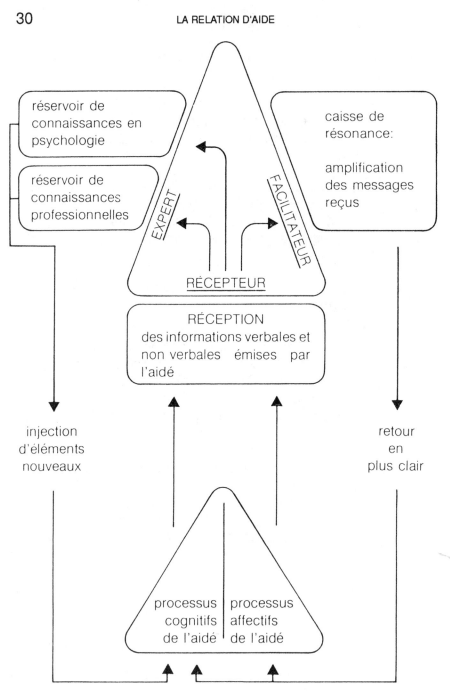

Figure 6: *Un modèle intégré de relation d'aide (première version)*

Les termes suggérés par Saint-Arnaud permettent de distinguer plus clairement les trois rôles de l'aidant tels qu'évoqués par Kennedy. Voyons de plus près.

Un rôle de récepteur d'abord, qui permet à l'aidant de capter le plus exactement possible les informations verbales et non verbales émises par l'aidé.

Un rôle de facilitateur ensuite, qui se décompose en deux tâches distinctes. La première consiste pour l'aidant à utiliser sa sensibilité pour répondre à la question suivante: comment se sent-on quand on est dans la peau et dans la situation de l'aidé et qu'on éprouve le sentiment qu'il exprime présentement?

Reprenant les concepts de résonance et d'empathie utilisés par Kennedy, Saint-Arnaud parle d'amplification et de décodage empathique. Il s'agit d'abord de clarifier des messages qui sont souvent émis faiblement, ce qui est précisément le rôle d'un amplificateur. Il s'agit ensuite de traduire ce message en se plaçant dans l'univers subjectif de l'aidé, c'est-à-dire de reconstituer l'impact de ce message tel qu'il est perçu ici et maintenant par l'aidé. Saint-Arnaud parle alors de décodage empathique, que l'on retrouve dans la figure sous l'expression *retour en plus clair*.

Ce retour en plus clair représente l'équivalent de la technique rogérienne du reflet, par laquelle l'aidant retourne dans le champ de conscience de l'aidé ce que ce dernier vient d'exprimer d'une façon moins claire, habituellement parasitée par ses résistances (nous reviendrons sur le reflet au Chapitre 8, et sur la résistance au Chapitre 14).

Dans la partie gauche du modèle, nous retrouvons le rôle d'expert, qui se décompose lui aussi en deux tâches. L'aidant dispose d'abord d'un réservoir plus ou moins vaste de connaissances en psychologie.

Dans le cas de la relation d'aide semi-formelle telle que pratiquée par un infirmier ou une animatrice de pastorale, par exemple, ce réservoir est évidemment moins complet que dans le cas d'un psychothérapeute professionnel. Mais l'utilisation du présent modèle implique que l'aidant possède une certaine initiation à la psychologie et aux phénomènes de base à l'oeuvre dans la personne humaine, ne serait-ce que par le biais de lectures personnelles et d'une formation d'appoint.

Ce sont ces connaissances de base qui permettront à l'aidant d'opérer un décodage objectif des informations émises par l'aidé, c'est-à-dire de faire des hypothèses pour tenter d'expliquer et de comprendre ce vécu. L'aidant pourra se dire, par exemple: «Si mon aidé ne quitte jamais le niveau des idées, c'est probablement qu'il se sent menacé par le monde de ses émotions», «S'il insiste pour que je lui règle ses problèmes, c'est probablement parce qu'il a développé un réflexe de dépendance», etc.

L'aidant peut communiquer à l'aidé ces hypothèses ou ces interprétations, s'il estime que cette intervention a des chances de stimuler ce dernier dans l'exploration de son problème. L'aidant se trouvera alors à injecter dans le champ de conscience de son aidé des éléments nouveaux pour celui-ci, tandis que lorsqu'il agissait comme facilitateur, il ne faisait que retourner ce qui provenait directement de ce champ de conscience.

Mais en plus de détenir certaines connaissances en psychologie, l'aidant possède souvent des connaissances dans un autre champ professionnel: sciences infirmières, gérontologie, gestion de personnel... C'est pourquoi le modèle de Saint-Arnaud prévoit un deuxième réservoir de connaissances professionnelles spécifique à l'aidant. C'est en puisant dans ce réservoir que l'aidant semi-formel pourra injecter des informations utiles à l'aidé pour la compréhension de sa situation: source et effets de ses symptômes, dispositions de la convention collective concernant son plan de retraite, phénomènes normaux reliés à son vieillissement, etc.

LE CHOIX DU CADRE DE RÉFÉRENCE

Il reste quelques précisions à apporter sur le fonctionnement du modèle, avant d'examiner, au chapitre suivant, les présupposés sur lesquels celui-ci se fonde.

La première précision concerne les trois flèches que l'on retrouve dans le triangle représentant l'aidant. Même s'il peut traiter à une vitesse étonnante l'information qu'il reçoit, le cerveau humain ne peut pas fonctionner simultanément à partir de deux cadres de référence différents, et à plus forte raison à partir de trois cadres!

Il en résulte que lorsque l'aidé émet une information ou une série d'informations, verbale ou non, l'aidant doit décider à chaque fois quel cadre de référence il utilisera pour décoder cette information. Optera-t-il pour sa caisse de résonance empathique, qui lui permettra de s'immerger dans l'univers subjectif de son aidé? Ira-t-il du côté de son réservoir de connaissances en psychologie, qui lui permettra de prendre un certain recul pour mieux comprendre à qui il a affaire et ce qui est en train de se passer?

Ou aura-t-il recours à son réservoir de connaissances professionnelles, qui lui permettra de stimuler l'exploration de son aidé à partir des ressources propres à sa profession?

Ceci permet de comprendre pourquoi la pratique de la relation d'aide requiert passablement de concentration et brûle passablement d'énergie de la part de l'aidant. Il n'existe pas de critères précis permettant de dire quel type de message requiert quel type de cadre de référence. L'aidant doit donc miser sur son expérience et sur son flair, ce qui lui laisse constamment une marge d'erreur.

C'est pourquoi l'aidant efficace est conscient de toujours intervenir à partir d'hypothèses: «Je fais l'hypothèse que je vais stimuler davantage le processus exploratoire de mon aidé en lui reflétant tel sentiment ou en lui reformulant tel contenu verbal, ou au contraire en lui injectant telle interprétation ou telle information...»

À l'image de certains médecins, avocats ou animateurs de pastorale, un chauffeur de taxi, une barmaid ou une coiffeuse peuvent consacrer une part importante de leur temps à aider leurs clients à régler leurs problèmes. Mais on s'attend rarement à ce que ces derniers interviennent à partir d'un modèle précis et qu'ils se préoccupent constamment de vérifier dans la suite de l'entrevue si leurs interventions étaient pertinentes ou non.

Pour bien marquer la différence entre un aidant amateur et un aidant sérieux, Saint-Arnaud distingue entre la compétence professionnelle de l'aidant (sa formation médicale, légale ou théologique, par exemple), et sa compétence interpersonnelle, c'est-à-dire sa capacité d'être un bon facilitateur, de faire de bons reflets, et sa capacité de choisir le cadre de référence approprié pour une intervention pertinente.

C'est ainsi qu'un médecin ou un théologien chevronné peuvent être de piteux aidants, incapables de saisir les sentiments de leur aidé et de guider celui-ci dans la compréhension de son vécu. Une infirmière ou une animatrice de pastorale dont les connaissances médicales ou théologiques seraient moindres pourraient par ailleurs détenir une compétence interpersonnelle beaucoup plus grande, et être ainsi des aidantes beaucoup plus adéquates.

L'ALTERNANCE DES RÔLES

Lorsque l'aidant décide de se situer dans son rôle d'expert (au plan de ses connaissances en psychologie ou de sa compétence professionnelle propre), il fait l'hypothèse que c'est ce type d'intervention qui a le plus de chances de stimuler le processus exploratoire de son aidé à ce moment-ci de l'entrevue.

Pour pouvoir vérifier cette hypothèse, il doit, une fois cette intervention faite, quitter son rôle d'expert pour revenir à son rôle de facilitateur (amplification, décodage empathique et retour). Car injecter un élément nouveau dans un système subjectif, c'est un peu comme greffer un organe étranger sur un système physiologique. L'organisme peut réagir positivement, mais il peut aussi rejeter l'organe ou développer une dangereuse infection.

En réintégrant sa caisse de résonance, l'aidant devient alors en mesure d'identifier les signes vitaux de l'aidé: soulagement ou anxiété, intérêt ou frustration, résistance ou rejet... En décodant ces réactions à partir de la subjectivité de son aidé et en lui retournant ces informations, l'aidant suscite de nouvelles réactions de la part de l'aidé, ce qui permet de stimuler le processus exploratoire et de le réorienter au besoin.

Ceci fait ressortir l'importance stratégique de la mobilité de l'aidant entre ses différents rôles. Pas d'injection et la relation d'aide risque de tourner en rond faute de stimulation cognitive et affective. Mais pas de facilitation et l'aidant n'est plus en mesure de vérifier la pertinence de ses injections: celles-ci sont peut-être décrochées du vécu actuel de son aidé, contribuant alors à freiner le processus exploratoire de ce dernier plutôt que de l'activer...

Il reste un dernier point, concernant cette fois-ci les trois flèches qui se trouvent à la base de la figure. On remarque que l'injection ne se fait que du côté des processus cognitifs, tandis que la facilitation peut se faire soit du côté des processus cognitifs, soit du côté des processus affectifs de l'aidé.

Ce dernier phénomène est facile à comprendre: l'aidant peut clarifier autant un processus exploratoire à dominante cognitive qu'à dominante affective. L'aidant peut dire ainsi: «Ce que vous me dites, c'est que vous hésitez entre changer votre auto maintenant et faire ainsi une dépense imprévue, et attendre un an mais risquer des réparations coûteuses». Nous sommes ici du côté d'une clarification à dominante cognitive, même s'il y a bien sûr des sentiments qui sont reliés à chaque membre de cette alternative.

Mais l'aidant peut dire aussi: «Vous me dites que vous vous sentez triste que votre femme parle de vous laisser, mais en même temps le ton de votre voix me laisse croire que vous lui en voulez beaucoup. Est-ce que je me trompe?» Il est facile de voir que nous sommes cette fois en présence d'une clarification à dominante affective.

En ce qui a trait à l'injection, cependant, le modèle ne laisse d'autre choix que de la diriger du côté cognitif. La raison en est que les contenus émanant des deux réservoirs sont des connaissances, des données cognitives, et qu'à ce titre, ils doivent être soumis à la considération de l'aidé, qu'il s'agisse d'interprétations psychologiques ou de données médicales, théologiques ou légales.

Dans tous ces cas, c'est à la raison de l'aidé que l'aidant s'adresse, quitte à regarder ensuite avec lui quel impact ces injections exercent au plan affectif. En négligeant de soumettre ses injections à l'appréciation critique de son aidé, l'aidant risquerait de verser dans la manipulation et le contrôle, sous couvert d'expertise.

Prenons l'exemple d'un animateur de pastorale qui dirait à un aidé sérieusement malade: «Évidemment, un chrétien n'a pas peur de la mort». On aurait ici une injection du côté affectif, dont le véritable impact serait: «Vous ne devez pas avoir peur de la mort, puisque vous êtes chrétien.»

Ce contrôle ne se produirait pas si l'aidant injectait son contenu du côté cognitif, disant par exemple: «La foi en l'au-delà permet en principe aux chrétiens de ne pas avoir peur de la mort. Qu'en pensez-vous?» Dans ce dernier cas, l'aidant injecte du côté cognitif, puis il se déplace tout de suite du côté de sa caisse de résonance empathique, pour se mettre à l'écoute de la réaction affective de son aidé, réaction qu'il pourra refléter au besoin.Ceci termine la présentation de la première version du modèle. Nous examinerons au chapitre suivant certains présupposés sur lesquels celui-ci s'appuie.

Quatre présupposés du modèle

Tout aidant opère à partir d'une conception plus ou moins explicite de la personne humaine et de son fonctionnement. Pour le courant humaniste dont sont issus Kennedy et Saint-Arnaud, la personne humaine ne peut être qu'unique, car elle est projet, elle se donne sa nature à partir de ses choix et de son action.

Cette philosophie convient bien à l'approche perceptuelle du psychologue Carl Rogers et de ses disciples, pour qui c'est la perception subjective du sujet qui vient conférer à son expérience un caractère unique et toujours à redécouvrir.

Par ailleurs, la psychologie moderne, dans sa dimension scientifique, se préoccupe de repérer des constantes et de dégager des lois explicatives dans le comportement humain. Les psychologues sensibles à cette dimension ne peuvent faire autrement que de s'intéresser à la personne humaine en ce qu'elle a de commun avec toutes les autres.

Nous nous retrouvons ainsi avec deux pôles, soit le pôle de la similitude, qui représente l'approche scientifique, et le pôle de la différence, qui représente, comme nous le verrons, l'approche existentialiste. Or, on peut interpréter ces deux pôles comme complémentaires, et percevoir la personne humaine à la fois comme semblable à toutes les autres et comme unique au monde. Nous obtenons ainsi les deux premiers présupposés de notre modèle, que l'on peut formuler comme suit:

Premier présupposé: Toute personne est en partie semblable aux autres.

Deuxième présupposé: Toute personne est en partie unique au monde.

Le premier présupposé vient nuancer ce que peut avoir d'excessif l'affirmation selon laquelle «toute personne est unique au monde», et nous inviter à tenir compte des nombreuses structures biologiques et psychologiques qui se retrouvent chez tous les humains.

C'est également ce présupposé qui permet à l'aidant d'utiliser, pour comprendre un aidé qu'il rencontre pour la première fois, l'expérience qu'il a acquise auprès de tous les autres aidés qu'il a accompagnés jusqu'ici.

Ce premier présupposé est ainsi à la base de la partie gauche de notre modèle. Les connaissances en psychologie, en médecine ou en gérontologie, par exemple, ont toutes été acquises à partir de l'observation systématique d'un grand nombre de sujets, et elles sont ensuite appliquées au sujet précis que l'intervenant a devant lui.

Lorsqu'il intervient à partir du côté gauche du modèle, l'aidant se fait ainsi la réflexion suivante: «Puisque la personne humaine est en partie semblable aux autres, ce que la psychologie, la médecine ou la gérontologie me disent des humains en général a bien des chances de s'appliquer aussi au sujet, au patient ou à la personne âgée que j'ai devant moi.»

Saint-Arnaud (1979a, p. 9) remarque toutefois à ce propos que «comme l'individu humain est le plus personnalisé que l'on connaisse dans la nature, l'aidant qui utilise son savoir professionnel est le plus souvent en face de nombreuses hypothèses pour comprendre la situation de l'aidé».

C'est pourquoi le psychologue québécois affirme que «décoder professionnellement, c'est ordinairement multiplier les hypothèses». Contrairement à l'aidant amateur ou débutant qui est prisonnier d'une hypothèse unique pour expliquer tout le réel, l'aidant compétent est ainsi celui «dont le savoir est assez vaste pour envisager plusieurs hypothèses».

Le présupposé à l'effet que «toute personne est en partie semblable aux autres» a d'ailleurs été redécouvert par Carl Rogers lui-même, qui est sans contredit l'un des avocats les plus autorisés du respect de la subjectivité et du caractère unique de chaque individu. Rogers (cité par Maslow, 1968, p. 690) déclarait ainsi: «Plus nous allons profondément à l'intérieur de nous-mêmes en tant que particuliers et uniques, à la recherche de notre identité propre et individuelle, plus nous rencontrons l'espèce humaine dans son ensemble.»

Dans le contexte de la relation d'aide, on pourrait inverser les perspectives et dire: «Plus nous allons profondément à l'intérieur de la subjectivité de l'aidé, plus nous le reconnaissons comme un être particulier et unique, et plus alors nous avons de chances de retrouver dans son vécu quelque chose qui ressemble à ce que nous avons nous-mêmes déjà vécu ou que nous sommes peut-être en train de vivre au moment présent.

L'empathie est l'effort de l'aidant pour sentir et comprendre l'aidé comme il se sent et se comprend lui-même. Cette démarche implique donc pour l'aidant une sortie de soi, c'est-à-dire l'abandon de ses propres façons de se sentir et de se comprendre.

Mais les réflexions qui précèdent nous permettent de voir qu'au-delà de l'empathie difficile, dans laquelle l'aidant s'efforce d'accueillir l'aidé dans sa différence, il existe une empathie spontanée. Cette dernière serait faite de la conscience prise par l'aidant que le vécu de l'aidé, pour confus ou pénible qu'il soit, rejoint en quelque part une partie de sa propre expérience.

Nous avons dit plus haut que l'application de données objectives à une personne concrète est toujours le fait d'une hypothèse. Il y a en effet de nombreux «si» qui interviennent dans cette démarche. Si cette personne ressemble à la population qui a été étudiée dans la recherche à laquelle je me reporte, si cette personne fait partie du 97% de sujets pour lesquels tel symptôme est le signe de telle maladie, ou pour lesquels telle loi s'applique...

Avec le concept d'hypothèse, nous nous mouvons ainsi en direction du second présupposé, selon lequel toute personne est en partie différente des autres et unique au monde. L'humain est un être complexe qui utilise son énergie de façons pouvant varier presque à l'infini. Mieux vaut donc, dans ces circonstances, être prudent face aux conclusions que l'on peut être tenté de tirer à partir d'indices superficiels remarqués dans son comportement.

Et mieux vaut, aussi, se mettre patiemment à l'écoute de la signification qu'il peut dégager lui-même, à partir de ses sentiments, de ses comportements et de ses questionnements. Ce sont ainsi toutes les interventions relevant de la partie droite du modèle qui se trouvent légitimées par le deuxième présupposé.

LA SYNTHÈSE DES DEUX PRÉSUPPOSÉS

Le modèle que nous utilisons implique ainsi que l'aidant partage ces deux croyances complémentaires que nous avons présentées plus haut. Ceci lui permettra par la suite de se mouvoir d'une façon fonctionnelle d'un côté à l'autre du modèle, et de stimuler ainsi au mieux le processus exploratoire de son aidé.

Un aidant qui n'adhérerait qu'au premier présupposé (sur la similitude entre les humains) se condamnerait à ne faire que de l'expertise, la solution ne pouvant venir que de son savoir, indépendamment du cheminement de son aidé. Ou bien cet aidant se trouverait constamment porté à imposer ses solutions à son aidé, se disant que puisqu'on est tous semblables, ce qui est bon pour lui est nécessairement bon pour l'autre.

À l'inverse, un aidant qui n'adhérerait qu'au second présupposé s'abstiendrait d'une façon absolue de toute injection, la lumière ne pouvant toujours venir que de son aidé lui-même, puisque chacun est unique au monde. Cet aidant priverait alors son aidé de tout éclairage venu d'ailleurs et pouvant susciter chez celui-ci des prises de conscience importantes.

N'étant pas en mesure de stimuler le processus exploratoire de son aidé autrement que par sa simple présence et ses seuls reflets, cet aidant serait effectivement moins aidant, surtout dans la relation d'aide semi-formelle, qui est habituellement une démarche à court terme.

Illustrons ce phénomène de l'adhésion simultanée aux deux présupposés, à l'aide de deux brefs extraits du volume de Kennedy (1980, pp. 94-97). Celui-ci se place sur le pôle de la similitude lorsqu'il écrit que le diagnostic «dépend de la compréhension intellectuelle (de la part de l'aidant) des processus psychologiques (observés chez l'aidé)».

Il existe donc pour cet auteur des processus psychologiques qui sont susceptibles de se dérouler de la même façon chez plusieurs sujets différents. Ceci revient nettement à affirmer que la personne humaine est semblable aux autres, au moins selon certaines dimensions de son être.

Par ailleurs, Kennedy tient également compte de la différence entre les humains lorsqu'il définit le diagnostic comme une opération ultimement orientée à faire ressortir ce qu'il y a de différent et d'unique dans le sujet en cause. Pour le psychologue américain, le diagnostic n'est pas «une méthode sophistiquée et objectivante destinée à répartir les personnes dans des catégories psychologiques», mais il consiste «simplement à obtenir de ces personnes l'image la plus fidèle et la plus claire possible».

Tout diagnostic implique une distanciation critique par rapport à l'aidé. Mais pour un aidant qui opère à partir des deux présupposés complémentaires, le diagnostic «peut concourir non pas à réduire les personnes à des numéros, mais à les reconnaître comme des individus uniques».

Nous reviendrons au Chapitre 7 sur cette importante question du diagnostic. Si l'on a abordé ce concept ici, c'était surtout pour illustrer comment les croyances de l'aidant peuvent avoir un impact direct sur sa façon de travailler, et donc sur l'efficacité de ses interventions.

LE TROISIÈME PRÉSUPPOSÉ

En nous inspirant directement de Beck (1963, p. 145), nous pourrions formuler comme suit notre troisième présupposé: Toute personne possède la capacité de résoudre ses problèmes d'ordre existentiel, pourvu qu'elle reçoive au besoin l'aide appropriée.

Les problèmes d'ordre existentiel sont ceux qui surgissent dans la gestion de sa vie personnelle. Pensons à des enjeux comme un mariage ou un divorce, une réorientation professionnelle, la gestion d'un conflit, un travail de deuil, la possibilité d'interrompre une grossesse ou de vivre ouvertement son homosexualité.

Les problèmes d'ordre existentiel diffèrent des problèmes nécessitant soit une formation spécialisée (problèmes d'ordre légal, fiscal, médical, mécanique...), soit des aptitudes innées jointes à une certaine pratique (pour le commerce, la mécanique, le maniement d'un instrument de musique...).

De toute évidence, beaucoup de problèmes sont insolubles sans l'intervention d'un médecin, d'une avocate ou d'un mécanicien. Mais contrairement à ces problèmes, le troisième présupposé affirme que la solution des problèmes d'ordre existentiel se trouve entre les mains non pas de spécialistes, mais du sujet lui-même. Dans la gestion de sa vie, chacun est en principe son propre expert.

Et de fait, les gens règlent spontanément, et habituellement d'une façon appropriée, une quantité de problèmes d'ordre existentiel, que ce soit dans leur couple, dans leur rôle de parent, au travail, dans leur rôle de consommateur, dans leur vie sociale...

Mais on a vu au tout début de ce volume que l'humain est un être complexe, et que les situations dans lesquelles il se retrouve le sont parfois aussi. C'est pourquoi le troisième présupposé affirme que la gestion des problèmes d'ordre existentiel, même si elle relève en dernier ressort de l'intéressé, nécessite parfois (quand elle atteint des niveaux de complexité trop élevés), l'intervention d'une aide appropriée.

Nos deux premiers présupposés présentaient des croyances complémentaires, concernant la ressemblance et la différence entre les humains. Le troisième présupposé implique lui aussi un équilibre délicat entre d'une part l'autonomie et la compétence existentielle des gens, et d'autre part la nécessité occasionnelle d'une relation d'aide pour soutenir, éclairer et consolider cette autonomie et cette compétence.

Les gens possèdent normalement la compétence existentielle qui leur permet de maintenir et d'augmenter la qualité de leur vie. On doit bien admettre cependant que de temps en temps, cette qualité de vie se trouve diminuée parce que certaines crises existentielles sont mal gérées: telle difficulté de communication dégénère en conflit insoluble, tel conflit débouche sur une rupture malencontreuse, telle difficulté se termine en échec, telle décision prise impulsivement suscite par la suite d'amers regrets, etc.

Le troisième présupposé affirme cependant que mêmes lorsque le sujet éprouve le besoin de se faire aider, il demeure l'expert de son problème et que c'est lui qui se trouve le mieux placé pour décider en dernière analyse de la solution la plus appropriée pour lui. Ce présupposé affirme donc que l'aidant, pour nécessaire et précieux qu'il puisse être à certains moments, ne demeure toujours qu'une ressource d'appoint, dont le rôle se limite à faciliter chez son aidé la compréhension de son problème et la mobilisation de ses ressources.

LE QUATRIÈME PRÉSUPPOSÉ

Nous avons distingué plus haut entre des problèmes qui relèvent d'experts (en mécanique, en droit, en médecine...) et des problèmes d'ordre existentiel, qui relèvent directement de l'intéressé. Mais ces deux catégories de problèmes sont loin d'être étanches. Car beaucoup de problèmes d'ordre existentiel nécessitent pour leur solution l'apport d'informations spécialisées.

Cette dernière affirmation constitue notre quatrième présupposé. Beaucoup de problèmes existentiels ont des incidences médicales, légales, fiscales, théologiques ou autres. Se constituer un fonds de pension pour s'assurer une vieillesse décente représente une décision d'ordre existentiel. Mais il faut aussi évaluer le type de fonds, la quantité d'argent qu'on y investira, le montant et le rythme des déboursés qu'on y affectera, le moment où ce fonds permettra la prise de la retraite, l'institution à laquelle on confiera ce fonds...

Comme deuxième exemple, prenons le cas d'une personne qui se demande si elle devrait ou non mettre un terme à son mariage. Il s'agit encore ici d'un problème existentiel. Mais il se peut que cette personne ne se sente pas prête à prendre sa décision et qu'elle éprouve le besoin de consulter un avocat pour explorer les différents scénarios possibles face à ce divorce éventuel.

Si cette personne est de religion catholique, il se pourrait qu'elle éprouve d'abord le besoin de rencontrer un consultant pastoral pour situer cette possibilité de divorce par rapport à ses croyances et par rapport aux exigences de son Église.

Il se pourrait enfin que cette personne songe également à d'autres spécialistes, comme un sexologue ou encore un consultant matrimonial qui l'aiderait à évaluer avec son conjoint les modes de communication qui se sont développés entre eux au fil des ans.

Dans ce dernier exemple, le sujet est toujours aux prises avec un problème existentiel, quelle que soit la spécialité de l'intervenant consulté. Mais chacune de ces consultations a comme objectif de se faire aider à progresser dans l'exploration de son problème et de sa solution.

C'est pourquoi le quatrième présupposé affirme que certains problèmes d'ordre existentiel nécessitent, pour une solution appropriée, à la fois un apport d'informations spécialisées et une aide pour utiliser cet apport.

Si le spécialiste ne fait que transmettre ses informations spécialisées, il limite son rôle à celui d'un expert, en mécanique, en droit, en théologie ou en médecine, faisant ainsi abstraction du vécu du sujet et de son besoin de s'approprier ces informations et d'y réagir.

Dans une démarche de relation d'aide, au contraire, l'expert utilisera la même compétence professionnelle (il puisera dans le même réservoir de connaissances spécialisées). Mais il utilisera également sa compétence interpersonnelle, c'est-à-dire qu'il puisera dans son réservoir de connaissances en psychologie d'une part, et qu'il aura recours aussi à sa caisse de résonance empathique. Ce faisant, il sera alors en mesure d'aider le sujet à clarifier l'impact de son apport de connaissances spécialisées et à en tirer profit pour son cheminement existentiel.

C'est donc précisément ce quatrième présupposé qui motive les divers spécialistes mentionnés plus haut à utiliser un modèle de relation d'aide qui leur permet à la fois de sauvegarder leur identité professionnelle (comme médecins, avocats, animateurs de pastorale...) et de tenir compte du vécu, des ressources, de la responsabilité et de la liberté du sujet auprès de qui ils interviennent.

Ceci complète l'examen des présupposés du modèle. L'explicitation de ces principes devrait permettre à tout aidant de se faire une idée plus claire des croyances qui l'animent et des objectifs qu'il se fixe dans ses interventions.

CHAPITRE 5

Les étapes de la relation d'aide

Le modèle présenté plus haut visait à mettre en lumière les différents rôles de l'aidant. Nous allons maintenant nous centrer sur le cheminement de l'aidé, à mesure que celui-ci avance dans le processus de la relation d'aide.

Le psychanalyste Jung (1962, p. 67) décrit la première étape de ce processus comme celle de l'aveu, où la personne cesse de résister et de se défendre, pour accepter sa vulnérabilité et décider de se centrer sur les réalités qu'elle a tenté de nier jusqu'ici.

Ce moment critique, où le sujet s'avoue à lui-même son impuissance à s'en sortir par ses propres moyens, s'accompagne fréquemment de résistances plus ou moins fortes. «J'ai un problème mais il n'est pas grave»; «J'ai un problème, mais j'ai commencé à le régler.» C'est l'étape des rendez-vous pris et annulés, du problème mis sur le tapis et renvoyé peu de temps après sous le tapis. Une personne que je n'avais jamais reçue en entrevue est même venue un jour glisser sous la porte de mon bureau une lettre m'expliquant pourquoi elle estimait ne pas avoir besoin de mes services pour le moment!

C'est ainsi que plusieurs projets de demande d'aide avortent dès cette première étape, neutralisés par l'anxiété que la perspective de l'aveu fait naître chez le sujet. Celui-ci admet qu'il a un problème, mais il le nie en même temps ou peu de temps après.

Cette négation prend parfois des formes subtiles. Poussé par son anxiété, le sujet verbalise pendant un certain temps, pour s'engager ensuite dans des solutions imprécises et prématurées. Cette démarche lui donne ainsi l'impression d'avoir fait quelque chose, tout en lui évitant l'anxiété d'une exploration plus approfondie.

Nous reviendrons, au Chapitre 14, sur ce phénomène de résistance qui est susceptible de refaire surface tout au long de la démarche de relation d'aide. Disons pour l'instant que ce phénomène se manifeste très souvent aussi par le décalage entre le problème tel qu'initialement formulé par le sujet et ce qui s'avère par la suite être son problème réel. Prenons un exemple.

À tous les matins, une résidente en Centre d'accueil se plaint à son infirmière de tous ses maux. Cette dernière s'en trouve exaspérée, d'autant plus que les examens médicaux de la résidente sont toujours négatifs.

Le problème formulé serait donc: «Je suis affligée de toutes sortes de malaises», tandis que le problème réel pourrait être: «J'ai besoin d'attention.» Mais la suite de l'entrevue nous en apprend davantage.

Aidée: Garde, à trois heures du matin, je ne dormais plus. Mon coeur battait très vite et voulait me sortir de la poitrine. Prenez mon pouls, vous allez bien voir.

Aidante: Votre coeur battait vite. Comment vous vous sentez quand votre coeur bat de cette façon?

Aidée: Bien, mon beau-frère se réveillait comme ça la nuit et personne ne le prenait au sérieux, pas plus que vous, médecins et infirmières. Et un beau matin, on l'a trouvé mort dans son lit.

Aidante: Êtes-vous en train de me dire que vous avez peur de mourir?

Aidée: Ce n'est pas que j'ai vraiment peur de mourir. Mais vous voyez, mon beau-frère est quand même mort. J'aimerais bien qu'on me croie.

Suite à ces confidences, l'aidante remarque ceci. «À ma grande surprise, cette femme me parlait pour la première fois de sa peur. Jusqu'ici, le fait de la rassurer n'avait jamais donné de résultat, elle ajoutait toujours d'autres malaises. Elle était tellement insistante sur ses multiples maladies que j'en devenais agressive. Depuis cette conversation, nous sommes en bonne relation toutes les deux.»

Retenons de ceci que le problème réel se présente souvent enveloppé de différentes façons, comme si le fait de le maquiller avait pour effet de l'atténuer. Et c'est l'écoute respectueuse et empathique de l'aidant qui permet à l'aidé de trouver le courage de nommer avec plus de précision et de transparence sa vraie détresse et ses vraies peurs.

Lorsque cela se produit, l'aidé devient tout à coup plus facile à accueillir de la part de son aidant, comme si le fait de se présenter dans sa vulnérabilité avait pour effet de le rendre plus humain aux yeux de ce dernier. L'exemple qui précède illustre bien ce phénomène aussi.

Ces réflexions permettent de voir la première phase de la relation d'aide comme une démarche descendante, dans laquelle l'aidé descend progressivement à la rencontre de sa réalité personnelle. Cette première phase sera suivie plus tard d'une phase ascendante, dans laquelle l'aidé, ayant exploré et compris les raisons de son vécu problématique, s'emploiera à préciser et à réaliser les changements désirés dans sa façon de vivre. La figure 7 nous présente l'enchaînement de ces étapes.

Les titres qui apparaissent à gauche de la figure précisent les différentes réalités en cause, par ordre de profondeur atteint par la démarche. Les deux premiers niveaux se caractérisent par un risque de court-circuit de la relation d'aide, si l'aidé évite de s'impliquer et décide de mettre un terme à son amorce d'exploration.

Au premier niveau, que nous avons appelé celui de la résistance, le sujet ne fait qu'effleurer son problème, en y faisant rapidement allusion pour s'en éloigner aussitôt. Par

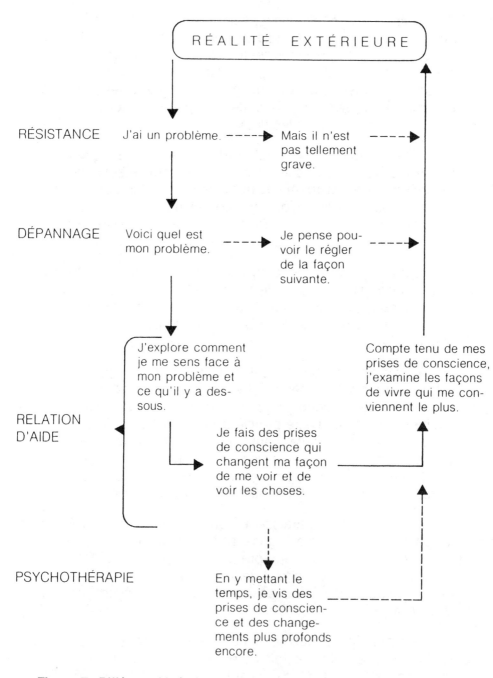

Figure 7: *Différents itinéraires possibles*

exemple, un homme qui a un sérieux problème de relation avec sa fille dit: «Ma fille a un problème» (plutôt que: «J'ai un problème avec ma fille»), et il enchaîne aussitôt: «Mais il faut dire que toutes les adolescentes ont des problèmes. Je suppose que ça va se passer avec le temps.» Et il s'empresse de changer de sujet.

Son aidant peut bien sûr refléter ses sentiments: «Il y a quelque chose qui vous préoccupe par rapport à votre fille, mais vous avez l'impression que ça va s'arranger tout seul...» Ou encore, il peut focaliser son aidé: «Ça serait quoi, son problème?», ou «Qu'est-ce qui vous amène à dire qu'elle a un problème?», ou peut-être même utiliser une confrontation: «Le fait que votre fille ait un problème, ça vous en cause un à vous aussi...»

Ou au contraire, si l'aidant sent que cet aidé est fragile et hésitant, il peut choisir de commencer par un support: «Ce n'est pas facile de sentir que son enfant n'est pas heureux...»

Si ces interventions ne sont pas faites, ou si elles ne réussissent pas, nous ne serons en présence que d'une tentative avortée de relation d'aide, comme si le problème de l'aidé ne lui faisait pas assez mal ou lui faisait trop peur pour qu'il entreprenne de se situer clairement face à lui.

Au deuxième niveau, que nous avons appelé celui du dépannage, le sujet se fait davantage présent à son problème, mais il s'empresse de se situer très vite à la phase ascendante, comme s'il désirait davantage régler son problème que le comprendre. «Ma fille a un problème. Je pense que je vais lui acheter une auto. Ça va l'aider à se replacer.»

Le dépannage surviendra si son interlocuteur accepte de le suivre à ce niveau, lui disant par exemple: «À quel modèle vous pensez?», ou encore: «Est-ce que votre fille a son permis?»

On se doute bien que l'achat de l'auto risque de ne pas régler grand-chose, à moins bien sûr que le problème de la jeune fille porte précisément sur le fait que son père ne lui ait jamais rien donné! Encore ici, l'interlocuteur qui veut vraiment se rendre utile à son aidé devra procéder par reflets et focalisations.

Il existe toutefois des cas où il n'est pas opportun de tenter d'aller au-delà du niveau du dépannage. Nous pensons en particulier à des situations où le sujet est particulièrement fragile, ou encore, se trouve sous l'effet d'un coup dur qui vient de lui arriver. Dans de tels cas, l'aidant risquerait d'accroître l'instabilité du sujet s'il tentait de l'amener à s'engager dans l'exploration de sa situation.

Dans de tels cas, mieux vaut suivre le sujet sur le terrain où celui-ci choisit de formuler son problème, et se contenter de lui offrir ce qu'il demande, soit un support passager, un service, une information ou un conseil.

La relation d'aide comme telle ne surviendra que si l'aidé atteint le troisième niveau, c'est-à-dire s'il explore comment il se sent par rapport à son problème, et pourquoi il se sent ainsi. Ce n'est en effet qu'à ce moment qu'il sera en mesure de discerner les changements pertinents dans sa façon de se sentir, de penser et d'agir.

C'est cette exploration du fonctionnement personnel de l'aidé qui constitue le propre de la relation d'aide, à la différence par exemple de la relation médecin-patient, avocat-client ou pasteur-fidèle. Dans ces relations, la personne peut apprendre qu'elle est atteinte de telle ou telle maladie, qu'elle est l'objet de telle ou telle procédure légale, ou que la Bible lui recommande telle ou telle conduite.

Ces informations peuvent provoquer chez elle des prises de conscience réelles, suivies de changements perceptibles de comportement. Par exemple, le patient pourra dire: «Je suis sérieusement malade», et modifier ses façons d'agir; le client pourra dire: «Je risque une faillite», et prendre certaines mesures; le fidèle pourra dire: «Je manque d'amour», et, là encore, changer ses façons de faire.

Mais si ces prises de conscience et ces changements surviennent spontanément, sans que le médecin, l'avocat ou le pasteur n'interviennent spécifiquement à cet effet, on ne pourra pas parler de relation d'aide, et ceci, même si ces professionnels sont compétents dans leurs domaines respectifs.

Comme on l'a vu au Chapitre 3, un spécialiste dans un domaine donné ne fait de la relation d'aide que lorsqu'il exerce sa spécialité tout en stimulant l'exploration par l'aidé de sa situation existentielle.

Notre figure distingue enfin un quatrième niveau, qui est celui de la psychothérapie. Ce niveau est atteint lorsque l'aidé est disposé à s'engager dans une démarche systématique de plusieurs mois, et lorsque son aidant possède les qualifications nécessaires pour rendre cet investissement rentable.

À la différence des deux premiers niveaux, les deux derniers font intervenir une étape intermédiaire entre la phase descendante et la phase ascendante, qui est l'étape de la prise de conscience ou de la compréhension de son vécu.

Certaines démarches d'expression de sentiments (phase descendante) peuvent s'avérer laborieuses et ne déboucher sur des prises de conscience libératrices qu'au terme d'un long cheminement. Un tel cheminement exige de la patience et de la détermination. Avant que ce processus ait suffisamment progressé, l'aidé ressent des choses sans pouvoir les nommer, puis il voit des choses sans être en mesure de les comprendre, puis il les comprend mais sans pouvoir utiliser cette compréhension pour changer...

Mais une véritable prise de conscience entraîne habituellement chez l'aidé une réorganisation de sa perception de lui-même, de ses proches, et des objectifs qui lui tiennent à coeur. C'est dans ce sens que l'on peut dire que lorsque la relation d'aide réussit, l'aidé se trouve changé par son problème.

L'ENCHAÎNEMENT DES TROIS PHASES

Nous arrivons ainsi à trois étapes qui s'enchaînent les unes aux autres, soit:

— la phase descendante ou étape de l'expression;

— la phase intermédiaire ou étape de la compréhension;

— la phase ascendante ou étape de l'ajustement ou de la prise en charge.

Ce terme d'ajustement ne désigne pas l'alignement de l'aidé sur les valeurs et les normes de son milieu, comme si la relation d'aide visait à fabriquer des conformistes. Ce qui est plutôt en cause ici, c'est la démarche par laquelle l'aidé ajuste ou modifie son image de soi en fonction des prises de conscience qu'il a faites sur lui-même, sur son histoire personnelle et sur son environnement.

Ainsi compris, ce processus joue dans les deux sens, le sujet changeant d'une part son agir en fonction de ses prises de conscience, mais élaborant d'autre part des stratégies destinées à modifier son environnement en fonction de ces mêmes prises de conscience.

Par exemple, une mère qui se plaignait de ses difficultés à «contrôler» son adolescente peut réaliser qu'elle a tendance à surprotéger une fille qui est par ailleurs relativement autonome et responsable. Dans un tel cas, la mère changera en devenant plus permissive. Mais dans un autre cas, une femme peut en arriver à la conclusion qu'elle se fait exploiter par son compagnon, et décider d'exiger de celui-ci davantage de respect et de réciprocité.

Dans le premier exemple, le changement portera d'abord sur l'image de soi de l'aidée, et celle-ci ne demandera à personne de changer autour d'elle. Dans le deuxième exemple, le changement portera en partie sur l'image de soi de l'aidée (qui se perçoit davantage maintenant comme digne de respect), mais l'aidée entreprendra surtout de négocier de nouveaux rapports à son endroit de la part de ses proches.

La figure 8 présente l'enchaînement des trois étapes de la relation d'aide.

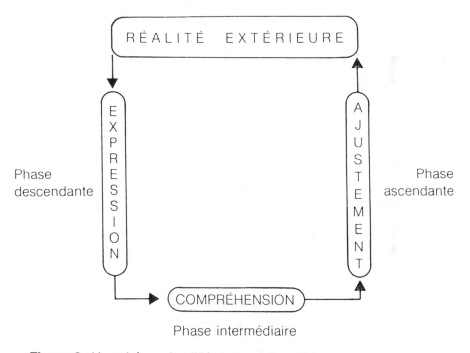

Figure 8: *Un schéma simplifié de la relation d'aide*

Ce schéma nous aide à identifier les rôles dominants de l'aidant à mesure que l'aidé chemine dans son processus d'exploration. Dans la phase descendante, il s'agit d'explorer la perception que l'aidé se fait de lui-même et de son environnement social. Ceci se fera essentiellement en aidant le sujet à exprimer ses sentiments, puisque ceux-ci l'informent sur la façon dont il répond aux pressions et aux demandes de son environnement.

Cette étape est le lieu par excellence du reflet, qui a pour objet de clarifier ces informations offertes par les sentiments. Et cette étape est également le lieu privilégié de la focalisation sur les sentiments, du genre: «Comment te sens-tu présentement face à ta situation?»

Dans la phase intermédiaire, l'accent est mis sur la compréhension par l'aidé de ce qu'il a exprimé à la phase précédente. L'aidant utilise ici le reflet en profondeur: «La mort de votre mère vous fait vivre un grand chagrin. En même temps, vous vous sentez coupable de ne pas l'avoir assez aimée, et cette culpabilité vient augmenter votre peine.»

La phase intermédiaire est aussi le lieu de l'interprétation qui, comme on le verra au Chapitre 12, est proche parente du reflet en profondeur. Dans la même situation que l'exemple évoqué ci-haut, l'aidant pourrait soumettre à son aidé l'interprétation suivante: «Est-ce que ça se pourrait que vous vous sentiez coupable de ne pas avoir assez aimé votre mère avant sa mort, et que cette culpabilité vous empêche de la laisser vraiment partir?»

Dans la phase ascendante enfin, l'aidé apprend à bâtir des scénarios de changement, à les évaluer, à les préciser et les raffiner, à s'y apprivoiser et à les mettre en oeuvre. Nous sommes ici au niveau des démarches de solution de problème et de prise de décision: «Comment m'y prendre dans telle situation?», «Quel objectif dois-je me fixer?», etc.

La pertinence de ces scénarios de changement apparaît proportionnelle à la qualité de la compréhension que l'aidé a atteinte à l'étape précédente: plus il se comprend, en effet, plus le sujet a de chances d'être en mesure d'identifier ce qui lui convient vraiment.

Mais la qualité de la compréhension ainsi atteinte est elle-même proportionnelle à la précision du contact que l'aidé a réussi à établir avec ses sentiments, à l'étape de l'expression. Plus il réalise comment il se sent coupable, déprimé, en colère, inquiet, etc., plus il a de chances de comprendre pourquoi il se sent ainsi. Ceci nous aide à mieux saisir la dynamique de l'enchaînement des étapes que nous avons décrite ci-haut.

En langage familier, on pourrait décrire comme suit les enjeux de chacune de ces trois étapes dans l'exploration par l'aidé de son problème:

— étape d'expression: «Qu'est-ce que je vis présentement?»

— étape de compréhension: «Qu'est-ce que cela me dit sur moi?»

— étape d'ajustement: «Qu'est-ce que je fais avec cela?»

Précisons en passant que contrairement à ce que pourraient laisser croire les titres de notre première figure, le phénomène de la résistance ne se limite pas au premier niveau de la phase descendante. Comme on le verra au Chapitre 14, c'est tout au long de son cheminement que l'aidé sera tenté de court-circuiter son processus exploratoire, pour éviter l'inconfort du contact avec lui-même.

UN INSTRUMENT DE DIAGNOSTIC

Nous examinerons au Chapitre 7 la nature et l'utilité du diagnostic. Mais nous sommes déjà en mesure d'utiliser notre schéma simplifié de la relation d'aide pour situer notre aidé par rapport à son besoin dominant, et par conséquent pour être mieux en mesure de déterminer le type d'intervention le plus approprié pour stimuler son processus exploratoire.

Prenons l'exemple d'une aidée qui dit: «Je ne réussis pas à discuter avec mon mari des problèmes qu'on a avec notre fille.» En s'exprimant ainsi, cette femme pourrait dire trois choses différentes sur elle-même, et demander par conséquent trois choses différentes à son aidant. Tout dépendra à quel endroit elle se trouve située dans son processus exploratoire.

Il se pourrait que cette femme se trouve dans la phase descendante, et qu'elle ajoute ceci: «Je veux juste ventiler là-dessus. Je sais que je ne changerai pas mon mari, mais ça me fait vivre plein de frustrations.»

On peut voir ici la résistance: «Je ne veux pas trop descendre. Je ne veux pas regarder de trop près ce qui se passe entre mon mari et moi. ...Mais je veux quand-même me faire une petite place pour regarder comment je me sens...»

Il se pourrait également que cette femme se trouve dans la phase intermédiaire: «Je suis consciente de la frustration que l'attitude de mon mari me fait vivre, et je veux comprendre pourquoi. Il me semble qu'il y a une partie du problème qui remonte plus loin...»

À ce moment, l'aidée serait relativement dégagée de la pression de ses émotions (elle aurait quitté l'étape de l'expression), et elle voudrait comprendre le pourquoi de ses réactions.

Mais il se pourrait enfin que cette femme soit rendue plus loin encore, soit au terme de la deuxième étape. Elle dirait à peu près ceci: «J'aimerais arrêter de me sentir perdante en me sentant la seule responsable d'aider notre fille. J'aimerais trouver une façon d'amener mon mari à s'impliquer davantage face à elle.»

La différence entre un aidant peu efficace et un aidant habile réside dans la capacité de ce dernier de se poser les questions suivantes: Où est-ce que cette personne en est dans son processus exploratoire? Est-elle aux prises avec ses émotions? Cherche-t-elle à comprendre pourquoi elle réagit comme elle le fait? Est-elle à la recherche d'un bon scénario de changement?

Une fois qu'il a clarifié ce que son aidé lui demande plus ou moins confusément, l'aidant se trouve davantage en mesure d'intervenir dans le processus exploratoire qui cherche à s'amorcer, de manière à en stimuler le déroulement.

Incidemment, l'aidant se trouve réduit au départ à utiliser son intuition et son flair. Mais une fois qu'il a situé globalement son aidé, rien ne l'empêche de vérifier auprès de ce dernier la justesse de son diagnostic. Il pourrait dire, par exemple: «Vous sentez le besoin de laisser sortir la vapeur et de voir un peu ce que ça vous fait vivre?» (première étape), ou: «Vous êtes consciente des émotions que ça vous fait vivre, et vous aimeriez comprendre pourquoi?» (deuxième étape), ou encore: «Vous comprenez assez bien comment vous réagissez et pourquoi vous réagissez comme ça, et vous aimeriez voir comment vous pourriez négocier ça avec votre mari?» (troisième étape).

C'est ainsi qu'un aidant expérimenté se trouve à pied d'oeuvre dès les premières minutes de l'entrevue, sachant rapidement comment intervenir pour exercer une pression adéquate sur le processus exploratoire de son aidé. Un aidant peu expérimenté, qui évolue sans modèle et qui n'a pas d'idée précise de son rôle, pourra mettre au contraire beaucoup de temps à laisser parler son aidée, au risque de la laisser tourner en rond, intervenant presque au hasard avec des reflets ou des focalisations improvisés.

LE CYCLE COMPLET ET LES AVANCÉES STRATÉGIQUES

L'exemple qui précède nous montre que l'aidé peut commencer une entrevue en se situant d'emblée à n'importe quel point de la trajectoire illustrée par notre schéma. La logique voudrait qu'il commence par explorer ses sentiments et qu'il termine par l'exploration des scénarios de prise en charge. Mais l'aidée a pu cheminer antérieurement avec d'autres aidants, ou elle a pu faire un bout de chemin seule.

Pour la même raison, on peut comprendre que s'il n'est pas nécessaire qu'elle parte du début, il n'est pas nécessaire non plus qu'elle se rende jusqu'au terme de la troisième étape.

Après avoir terminé sa ou ses entrevues avec son aidant, l'aidée continuera à vivre, à réfléchir, à échanger sur ses problèmes avec d'autres personnes...

Un processus exploratoire complet (incluant les trois étapes) peut se dérouler à l'intérieur d'une seule entrevue, tout comme il peut s'étendre sur plusieurs années. Par exemple, le sujet doit décider s'il va à la pêche avec son garçon le samedi suivant, ou s'il utilise ce temps pour rattraper le retard accumulé dans son travail au bureau. Il devra bien sûr regarder comment il se sent par rapport aux attentes de son garçon et par rapport à la pression de son travail (phase de l'expression), examiner comment ces sentiments sont influencés par la façon dont il définit ses rôles de parent et de travailleur (phase de la compréhension), et élaborer des scénarios qui tiendraient compte du résultat de cette exploration (phase de l'ajustement ou de la prise en charge).

Tout ceci pourrait se faire en l'espace de quelques minutes ou de trois quarts d'heure, en fonction de différents facteurs tels le niveau de difficulté du problème, les aptitudes de l'aidé et les habiletés de l'aidant. Mais on peut également concevoir un processus exploratoire s'étendant sur de nombreuses années, comme dans le cas d'un deuil par exemple.

Dans ce dernier cas, on pourrait devoir compter plusieurs mois pour la phase de l'expression des nombreux sentiments intenses provoqués par le deuil, plusieurs mois également pour la compréhension de l'interaction entre ces sentiments et la personnalité du sujet, et de nombreux mois aussi pour la réorganisation de l'image de soi du sujet et pour sa réinsertion dans son quotidien.

Il est important pour l'aidant de saisir l'ampleur de ces variations potentielles dans la durée du parcours exploratoire. Ceci lui permettra entre autres d'éviter de se sentir inadéquat à l'endroit d'aidés qui ne lui donneraient pas l'impression d'avancer suffisamment vite.

On trouve spontanément plus gratifiant d'accompagner l'aidé dans le parcours complet des trois étapes de son exploration. Mais à la réflexion, il est tout aussi gratifiant de l'aider à progresser vraiment dans ce parcours, quels que soient le rythme du cheminement et l'étendue parcourue. L'important devient alors la qualité des interventions qu'on a réussi à faire, même si ces interventions n'avaient servi à faire progresser l'aidé que d'un centimètre sur notre figure!

Surtout dans le cas de l'accompagnement informel ou semi-formel, les aidants ne sont toujours que des ressources d'appoint, qui n'interviennent que d'une façon ponctuelle dans le cheminement de leurs aidés. Ils doivent évidemment viser à réaliser des interventions les plus pertinentes et les plus stimulantes possibles au moment de l'entrevue. Mais ils ne doivent jamais perdre de vue le fait que leur responsabilité à l'endroit de l'aidé cesse au moment où s'arrête l'entrevue.

CHAPITRE 6

Le développement de quelques habiletés

Les pages qui suivent n'apportent pas de développements théoriques, mais elles présentent trois exercices permettant de développer différentes habiletés, soit:

— l'habileté à distinguer entre différents types d'interventions: exercice #1;
— l'habileté à faire des reflets et des reformulations: exercices #2 et #3;
— l'habileté à faire des focalisations: exercice #3;
— la capacité de s'impliquer personnellement: exercice #3.

EXERCICE #1: LA FABRICATION D'INTERVENTIONS

Voici les premiers mots prononcés par quatre personnes qui se présentent en relation d'aide. À partir de ces contenus, formuler un exemple d'intervention de l'aidant correspondant à chacune des huit catégories suivantes:

Reflet-reformulation: retourner à l'aidé son sentiment (reflet) ou résumer en d'autres mots son contenu verbal (reformulation).

Évaluation-contrôle: approuver ou blâmer l'aidé de penser ou d'agir comme il le fait, ou lui dire comment penser ou agir.

Solution:	essayer de résoudre le problème de l'aidé.
Focalisation:	inviter l'aidé à se centrer plus précisément sur un aspect de son vécu.
Support:	rassurer ou encourager l'aidé.
Investigation:	rechercher des informations supplémentaires sur les données objectives du problème.
Interprétation:	essayer de faire comprendre à l'aidé les raisons de son fonctionnement.
Confrontation:	amener l'aidé à se remettre en question à propos d'une de ses émotions ou d'une de ses façons de penser ou d'agir.
Premier cas:	«Mon mari ne veut rien savoir de la religion, et voilà que le professeur de catéchèse de ma fille me dit qu'il n'est pas question de première communion si les deux parents ne vont pas à deux réunions à l'école.»
Deuxième cas:	«Depuis que mon père est mort, ma mère vit toute seule et je trouve qu'elle fait pitié. J'aurais bien le goût qu'on la prenne chez nous, mais je ne sais pas comment ma femme prendrait ça à la longue...»
Troisième cas:	«J'ai un bon mari et je n'ai rien à lui reprocher. Je veux dire... on se prend comme on est, tous les deux. Mais depuis une secousse, j'ai l'impression qu'il fait de l'œil à la voisine.»
Quatrième cas:	«Les maudits fonctionnaires du chômage. Ils m'ont coupé mes chèques. Ils disent

que mes cartes sont trop en retard. J'ai été dans le sud et mon stupide beau-frère était censé les remplir et les signer à ma place...»

En guise d'exemple, voici comment une aidante en formation a fait cet exercice:

Évaluation-contrôle (à partir du cas #4): «Ça ne vous dérange pas de frauder l'assurance-chômage?»

Interprétation (à partir du cas #2): «Vous sentez-vous responsable de votre mère, depuis que votre père est mort?»

Investigation (à partir du cas # 3): «Elle a quel âge, votre voisine?»

Support (à partir du cas #1): «Ce n'est pas facile d'être croyante et d'avoir un mari qui ne l'est pas.»

Solution (à partir du cas #3): «Avez-vous pensé à exprimer votre inquiétude à votre mari?»

Reflet (à partir du cas #2): «Vous avez peur que votre femme ne s'entende pas bien avec votre mère?»

Focalisation (à partir du cas #1): «Qu'est-ce qui vous contrarie le plus: que votre mari soit fermé à la question de la religion ou que le professeur insiste sur la participation des deux parents aux réunions?»

Confrontation (à partir du cas #4): «Il me semble qu'une condition pour toucher de l'assurance-chômage, c'est d'être disponible pour travailler.»

Il s'agit maintenant de faire de même. Lorsque cet exercice se fait dans un contexte de groupe, on fait la première étape individuellement, après quoi chaque participant lit une de ses interventions à haute voix, et les autres participants essaient ensemble d'identifier le type d'intervention dont il s'agit.

EXERCICE #2: EXERCICE INDIVIDUEL ET EN GROUPE SUR LE REFLET ET LA REFORMULATION

Voici dix cas de personnes qui se présentent en relation d'aide. Les lecteurs qui le désirent peuvent essayer d'identifier le sentiment dominant qui est vécu par chacune de ces personnes, et d'exprimer ce sentiment par une courte phrase qui reformule en même temps l'essentiel du contenu verbal exprimé dans chaque cas. Voici deux exemples:

Premier exemple:	«Je n'étais pas fâchée d'apprendre que mon mari a changé d'idée à propos de l'auto. Il voulait la changer pour une neuve, mais moi, je trouve qu'on n'a pas les moyens ces temps-ci.»
(soulagement):	«Ça vous soulage qu'il ait décidé d'attendre.»
Deuxième exemple:	«Je suis fatigué d'entendre parler de mon beau-frère. D'après ma femme, il sait tout faire, ce type-là, et il fait toujours la bonne chose au bon moment. À côté de lui, c'est comme si j'étais un pas bon.»
(dévalorisation):	«Ça vous dévalorise que votre femme vous parle si souvent de son frère.»

On trouvera à la page 70 la liste des sentiments contenus dans les dix premiers cas suivants, ainsi que des exemples de reflets et de reformulation possibles. Le non verbal apporterait évidemment des indices précieux sur les sentiments vécus par les aidés. Mais on peut néanmoins faire cet exercice à partir des seuls indices verbaux fournis ici.

Premier cas: «Mon père est plutôt près de son argent. Mais c'est drôle, ma mère m'a dit qu'il a donné un bon montant au garçon du voisin qui est retourné aux études.»

(_____) _____

Deuxième cas: «Mon père est plutôt près de son argent. Mais c'est drôle, ma mère m'a dit qu'il a donné un bon montant au garçon du voisin qui est retourné aux études. Il y en a qui sont chanceux...»

(_____) _____

Troisième cas «Ça fait longtemps que je ne m'étais pas senti aussi important. Ma plus vieille a eu son premier enfant et quand on est arrivé à l'hôpital, elle venait tout juste de l'allaiter. Elle a dit: «Papa, c'est votre premier petit-fils!» Et elle me l'a mis dans les bras.»

(_____) _____

Quatrième cas: «Mon ex-mari voulait m'emprunter de l'argent et parce que j'ai refusé, il se venge sur la petite. Comment est-ce qu'un homme peut faire ça?»

(_____) _____

Cinquième cas: «Ma belle-mère est une femme super-sympathique. Même que des fois, quand ma femme est déplaisante, elle me fait un clin d'oeil pour m'encourager à être patient.»

(_____) _____

Sixième cas: «Je ne sais pas ce que je donnerais pour être plus instruite. Il me semble que ça me donnerait plein de possibilités. Mais j'étais la plus vieille et il fallait que je travaille...»

(_____) _____

Septième cas: «On file le parfait bonheur, mon amie et moi. C'est une fille qui a toutes les qualités. S'il y a quelque chose... elle en a trop. Je me dis parfois qu'elle va finir par rencontrer un gars plus attirant que moi.

(_____) _____

Huitième cas: «Mon père ne tient pas ses promesses. Il m'avait dit qu'il me donnerait un dix vitesses pour ma fête et là, trois semaines avant ma fête, il me dit d'attendre à l'an prochain.»

(_____) _____

Neuvième cas: «À tous les soirs, il y a deux jeunes du coin qui font un vacarme terrible avec leur moto juste devant chez moi. Mais je n'ose pas me plaindre à la police. Les jeunes d'aujourd'hui...»

(_____) _____

Dixième cas: «Il y a un étudiant dans mon cours qui passe son temps à contredire le professeur. Il a des idées sur tout et d'après lui, elles sont toujours meilleures que celles des autres. S'il pouvait se taire, de temps en temps!»

(_____) _____

EXERCICE #3: EXERCICE À DEUX SUR LA FOCALISATION, LE REFLET ET LA REFORMULATION

Le premier partenaire exprime en trois ou quatre phrases comment il se sent dans chacune des cinq situations suivantes. S'il a de la difficulté à s'exprimer, son aidant lui facilite la tâche en faisant une focalisation: «Peux-tu prendre un exemple?» «Comment ça se passe à ce moment-là?» «Qu'est-ce que tu n'aimes pas là-dedans?» Etc.

Lorsqu'il a fini de s'exprimer sur la première situation, l'aidant reflète son sentiment et reformule brièvement dans ses mots ce qu'il a exprimé.

Après l'intervention de l'aidant, le premier partenaire dit s'il s'est senti bien reflété et bien reformulé, et corrige au besoin, puis il passe à la deuxième situation.

Après que les cinq premières phrases sont complétées, on inverse les rôles pour les cinq suivantes. S'il reste du temps, le deuxième partenaire peut compléter les cinq premières phrases, et vice-versa.

1. Quand un voisin me demande un service que je lui ai déjà refusé...
2. Quand quelqu'un monopolise la conversation...
3. Quand je suis seul à la maison...
4. Quand on ne me prend pas au sérieux...
5. Quand mes amis soulignent mon anniversaire...

(inversion des rôles)

6. Quand je commence à tutoyer quelqu'un et qu'il continue à me vouvoyer...
7. Quand je sens que quelqu'un m'en veut...
8. Quand un inconnu m'arrête sur la rue pour me demander de l'argent...
9. Quand on me demande de donner mon opinion devant un groupe...
10. Quand quelqu'un veut se montrer meilleur que moi...

DESCRIPTION SOMMAIRE DES HUIT PRINCIPAUX TYPES D'INTERVENTION

- Reflet-formulation: retourner à l'aidé son sentiment ou sa réflexion;
- Évaluation-contrôle: approuver ou blâmer l'aidé de penser ou d'agir comme il le fait, ou lui dire comment penser ou agir;

- Solution: essayer de résoudre le problème de l'aidé;
- Focalisation: inviter l'aidé à se centrer plus précisément sur un aspect de son vécu;
- Support: rassurer ou encourager l'aidé;
- Investigation: rechercher des informations supplémentaires sur les données objectives du problème ou de la situation de l'aidé;
- Interprétation: essayer de faire comprendre à l'aidé la raison de son fonctionnement;
- Confrontation: amener directement l'aidé à se remettre en question dans sa perception de lui-même ou dans ses façons de penser.

(suite de la page 11)

votre réponse →	Cas #1	#2	#3	#4	#5	#6	#7	#8
Reflet-reformulation	1 + 9	1 + 9	8 + 9	7	1 + 9	6 + 9	8	6
Évaluation-contrôle	2	2	4	1	3	1	2	2 + 9
Solution	3	3	1	2	4	3	3	4
Focalisation	4	8	5	8	8	2	6	7
Support	5	4	7	4	5	4	7	8
Investigation	6	7	2	6	6	5	4 + 9	5
Interprétation	7	5	6	3	7	7	5	3
Confrontation	8	6	3	5 + 9	2	8	1	1

RÉPONSES DE L'EXERCICE DE LA PAGE 64

Premier cas: (Surprise) «Ça te surprend que ton père ait fait ça.»

Deuxième cas: (Envie) «Tu aurais aimé que ton père pense à toi avant de penser au voisin.»

Troisième cas: (Fierté) «Vous vous sentiez fier d'être grand-père.»

Quatrième cas: (Révolte) «Ça vous révolte qu'il s'en prenne à votre fille pour vous atteindre.»

Cinquième cas: (Plaisir) «Vous trouvez ça bon de sentir sa complicité.»

Sixième cas: (Regret) «Tu regrettes d'avoir dû quitter l'école tôt juste parce que tu étais la plus vieille.»

Septième cas: (Inquiétude) «Tu as un peu peur de la perdre parce que tu ne te sens pas tout à fait à la hauteur.»

Huitième cas: (Déception) «Ça te déçoit que ton père ne tienne pas sa parole.»

Neuvième cas: (Peur) «Vous ne vous plaignez pas par peur des représailles.»

Dixième cas: (Impatience) «Il n'est pas facile à endurer.»

CHAPITRE 7

Le diagnostic et sa pratique

Le modèle présenté au Chapitre 3 prévoit une certaine alternance entre le décodage empathique et le décodage objectif. Le décodage empathique consiste à préciser le vécu problématique de l'aidé tel que celui-ci le ressent et l'exprime au moment présent. Quant au décodage objectif, il implique une certaine distanciation critique par rapport aux verbalisations de l'aidé, et une formulation plus objective de son problème.

Prenons l'exemple d'un aidé qui s'exprimerait comme suit: «J'ai un problème avec les femmes. Quand je rencontre une fille, ça marche très bien au début. On s'entend bien, on a du plaisir ensemble, et souvent on se permet même de faire l'amour. Mais je ne suis jamais intéressé à la revoir plus de deux ou trois fois...»

Le décodage empathique prendrait la forme d'un reflet et d'une reformulation: «Tes premiers contacts avec les femmes sont toujours plaisants, mais ça t'inquiète de voir que ça ne dure jamais...» En contraste, le décodage objectif témoignerait d'un plus grand recul par rapport au décodage empathique, et pourrait se présenter comme suit: «Son problème, c'est que la culpabilité qu'il éprouve face à la sexualité l'amène à rompre le contact avec ses partenaires.»

Tandis que le décodage empathique est fait à ras de sol et à l'intérieur de la subjectivité de l'aidé, le décodage objectif est fait un peu plus à vol d'oiseau, et davantage aussi dans les termes de l'aidant. Pour le décodage objectif, l'aidant utilise d'ailleurs au besoin des termes plus techniques, puisés dans son réservoir de connaissances en psychologie.

LA RÉSISTANCE AU DIAGNOSTIC

Le terme de diagnostic, utilisé dans le contexte de la relation d'aide semi-formelle, soulève parfois des résistances, et ceci, pour deux raisons principales. D'une part, on associe le diagnostic à la psychiatrie et on se dit qu'on n'a pas la compétence nécessaire pour identifier les différentes pathologies avec lesquelles les psychiatres sont familiers. Et d'autre part, on voit dans le diagnostic une étiquette que l'aidant colle sur les aidés, et on se refuse à manipuler de telles étiquettes.

Ces objections sont toutes les deux fondées. Mais il reste que pour servir à quelque chose, l'aidant doit comprendre ce qui se passe chez son aidé. Or, le diagnostic correspond justement à cette compréhension. Mais il faut aller plus loin et se demander non pas s'il est opportun ou légitime de faire un diagnostic, mais même s'il est possible de fonctionner cognitivement sans faire un diagnostic.

Les études sur le fonctionnement cognitif tendent de fait à montrer que toute activité perceptuelle s'accompagne d'une activité organisatrice. L'humain n'est pas d'abord purement récepteur, et ensuite évaluateur, interprète ou analyste. Le couple perception-organisation est toujours entremêlé, et qui dit organisation dit référence plus ou moins explicite à des connaissances antérieures. C'est ici que nous retrouvons notre diagnostic, qui correspond à un certain traitement critique des indices en train d'émerger.

UNE DÉFINITION DU DIAGNOSTIC

Le psychologue Hamachek (1971, p. 33) résume bien ce phénomène lorsqu'il définit la perception comme «le processus par lequel nous sélectionnons, organisons et interprétons les stimulations sensorielles dans une vision du monde signifiante et cohérente».

En modifiant légèrement la formulation de cette définition de la perception, on obtiendrait une bonne définition du diagnostic, qui se lirait comme suit: Le diagnostic est le processus cognitif par lequel l'aidant sélectionne, organise et interprète les informations verbales et non verbales émises par l'aidé, dans une vision signifiante et cohérente de cet aidé. Plus simplement, comme on le verra plus loin, faire un diagnostic, c'est essentiellement se demander à qui on a affaire et y répondre en une phrase!

Un des enjeux du diagnostic réside donc dans la clarté de sa formulation. Mais il existe un enjeu plus fondamental, qui n'est pas de savoir si l'aidant organise ou non ses perceptions (s'il travaille avec ou sans diagnostic), mais qui est de devenir conscient du diagnostic qu'il utilise spontanément, souvent à son insu.

LE DIAGNOSTIC COMME HYPOTHÈSE

S'il est bon de prendre conscience du diagnostic que l'on utilise implicitement et spontanément, c'est que ce diagnostic peut être erroné, ou du moins manquer passablement de précision. Reportons-nous à l'exemple utilisé plus haut de l'aidé qui se disait incapable de poursuivre une relation avec une femme.

L'aidant pourrait se dire intérieurement: «Il a un problème avec sa sexualité», ou: «Il a un problème de communication avec les femmes.» Ces diagnostics pourraient ne pas être faux, mais ils sont tellement généraux et tellement vagues qu'ils risquent fort de n'être d'aucune utilité à l'aidant. Le diagnostic que nous avons présenté plus haut était beaucoup plus précis: «La culpabilité que l'aidé éprouve face à sa sexualité l'amène à rompre le contact avec ses partenaires.»

Ce diagnostic est plus précis, mais il a en même temps plus de chances d'être faux! Il est vrai que beaucoup de gens se sentent coupables d'avoir des relations sexuelles et que cette culpabilité les amène à éviter leurs partenaires potentiels. Mais est-ce bien le cas pour notre aidé? Il est facile d'imaginer une autre dynamique, et donc un autre diagnostic: «Son problème, c'est que l'intimité qu'il développe dans ses nouvelles relations le menace tellement dans son identité fragile, qu'il se voit inconsciemment forcé d'y mettre un terme.»

Nous nous retrouvons ainsi en présence de deux diagnostics passablement précis, soit le diagnostic portant sur la culpabilité et le diagnostic portant sur l'identité menacée. Ceci nous aide à comprendre que le diagnostic n'est toujours qu'une hypothèse que l'aidant formule en relation avec le problème de l'aidé.

Cette hypothèse peut être plus ou moins probable, allant de l'impression très intuitive (habituellement en début d'entrevue) jusqu'à la quasi-certitude (lorsque l'aidant est plus expérimenté ou que l'aidé lui a livré davantage d'informations). Le fait que le diagnostic ne soit toujours qu'une hypothèse va à l'encontre de l'objection de l'étiquette que l'aidant imposerait à son aidé. Une étiquette se présente comme un jugement définitif et sans appel, tandis que le diagnostic n'est qu'une hypothèse provisoire que l'aidant formule afin d'accroître sa compréhension de son aidé.

Plus l'aidant a développé un savoir psychologique étendu, moins il a de chances d'être prisonnier d'une hypothèse unique, et plus il a de chances de pouvoir envisager différentes hypothèses pouvant rendre compte du problème de son aidé. La capacité de faire un bon diagnostic est donc susceptible d'augmenter au fur et à mesure que l'aidant développe ses connaissances et accumule de l'expérience.

Mais encore faut-il qu'il se soucie d'utiliser ces connaissances et cette expérience pour formuler son diagnostic. Ceci met en relief l'importance d'intervenir à partir d'un modèle adéquat. Faute de modèle, en effet, l'aidant sera incapable de préciser ses objectifs et donc de critiquer ses résultats. Il se condamnera alors à répéter les mêmes erreurs année après année, sans apprendre à partir de son expérience.

LE DIAGNOSTIC COMME PROCESSUS

On a vu plus haut que loin d'être une étiquette fixe, le diagnostic se présente plutôt comme un processus de compréhension toujours plus précise du vécu de l'aidé. On se retrouve ainsi très proche de la perception de Blocher (1966, p. 130), pour qui le diagnostic est «le processus par lequel l'aidant en arrive à comprendre l'aidé, son univers et la signification que revêtent pour lui ses interactions avec cet univers».

À partir du moment où l'on conçoit ainsi le diagnostic, la question de savoir s'il faut en faire un ou non se règle d'elle-même dès que l'aidant entreprend de faire un effort sérieux pour comprendre son aidé.

Le diagnostic n'est pas une étiquette apposée une fois pour toutes sur l'aidé, mais il est l'effort constant que l'aidant fait pour se dire à lui-même ce qu'il a réussi à comprendre jusqu'ici sur le fonctionnement de son aidé. Cette approche rejoint aussi l'expérience des psychologues Carkhuff et Berenson (1967, p. 235), pour qui «un processus diagnostique signifiant découle d'un processus permanent d'interaction entre le thérapeute et le client».

Ces auteurs estiment qu'«il n'y a pas de processus diagnostique séparé et distinct». Ceci est vrai au sens où il doit y avoir une interaction continuelle entre les deux côtés du modèle, une bonne écoute permettant un meilleur diagnostic, un bon diagnostic permettant une meilleure compréhension et une meilleure compréhension permettant une meilleure écoute...

Dans ce sens, nous avons souvent remarqué, en supervisant des aidants en formation, que la pertinence et l'efficacité de leurs interventions étaient directement proportionnelles au degré de précision de leur diagnostic. Les aidants qui font un bon diagnostic ont une meilleure idée de ce qui se passe et de ce qui devrait se passer pour que l'aidé progresse dans son exploration. Ils sont donc à même de refléter les bons sentiments, de focaliser sur le bon matériel, et de proposer des interprétations stimulantes.

À l'inverse, les aidants qui n'ont qu'une vague idée du problème de leur aidé reflètent et focalisent un peu au hasard, et n'ont ainsi que très peu d'impact sur le processus exploratoire de cet aidé.

Pour des fins d'apprentissage, nous allons cependant à l'encontre de l'observation de Carkhuff et Berenson, et nous faisons du diagnostic un moment séparé et distinct, de manière à permettre aux aidants en formation de développer les différentes habiletés reliées au diagnostic.

Un bon diagnostic est en effet une habileté qui s'apprend et se développe. Pour faciliter cet apprentissage, nous distinguerons dans les paragraphes qui suivent cinq habiletés requises pour faire un bon diagnostic.

LA PREMIÈRE HABILETÉ

Commençons par distinguer entre le diagnostic du médecin et celui de l'aidant. La différence majeure entre les deux se situe au niveau de la cueillette des informations requises pour procéder au diagnostic médical. Le médecin va chercher lui-même les informations dont il a besoin, d'abord en écoutant son patient raconter son problème, mais ensuite en posant plusieurs questions de nature objective (nous dirions des questions fermées ou des investigations).

À la différence du médecin, l'aidant se contente de tirer parti des informations que son aidé lui communique spontanément par ce qu'il exprime et par sa façon de se comporter. C'est là sa première habileté.

Cette distinction est importante dans la mesure où elle permet à l'aidant de demeurer centré sur la relation qui est en train de se développer entre lui et son aidé, de même que sur l'univers subjectif plutôt que sur le problème objectif que celui-ci expose.

Plutôt que de questionner son aidé, l'aidant tente de répondre par lui-même à la question qu'il garde toujours en tête: «Qu'est-ce que mon aidé me dit sur lui-même et sur son problème lorsqu'il s'exprime comme il le fait présentement?»

LA DEUXIÈME HABILETÉ

Une deuxième habileté consiste dans la capacité de distinguer entre le problème tel que formulé par l'aidé au début de l'entrevue, et le problème réel tel qu'il se dévoilera normalement par la suite. Pour se protéger contre des prises de conscience inconfortables, l'aidé est en effet porté à limiter l'ampleur de son problème, ou à le formuler en termes qui en attribuent la responsabilité à d'autres, ou encore aux circonstances de la vie («Mon problème, c'est que l'autobus passe toujours avant que j'arrive à l'arrêt, ce qui me fait arriver en retard au travail...»).

Un aidant habile évitera ce piège, et tentera de saisir le problème réel qui se cache sous le problème formulé. On peut illustrer cette habileté par le diagnostic suivant:

Aidé: Personne ne m'aime.

Aidant: (intérieurement): Mon problème, c'est que je ne me laisse aimer par personne...

LA TROISIÈME HABILETÉ

Une troisième habileté consiste pour l'aidant à tirer parti de ses connaissances et de son expérience pour éclairer la situation à laquelle il se trouve présentement confronté. Cette démarche se fonde sur le présupposé selon lequel les aidés sont en partie semblables les uns aux autres. Dans la mesure où cela est vrai, l'aidant a peut-être déjà lu des recherches qui mettaient en lumière des types de fonctionnement semblables à celui que son aidé manifeste présentement. Où il a peut-être déjà accompagné des aidés qui avaient des problèmes semblables...

Une bonne question à se poser est alors la suivante: «À qui la personne que j'ai devant moi ressemble-t-elle?», ou encore: «À quoi cette façon de fonctionner me fait-elle penser?»

Ce faisant, l'aidant n'est pas à la recherche d'une étiquette qu'il pourra plaquer sur son aidé, pour pouvoir ensuite se dispenser de faire l'effort de le comprendre. Mais il est au contraire à la recherche d'une piste qui lui permettra de faire de la lumière sur le fonctionnement de cette personne et de réussir ainsi à mieux la comprendre.

LA QUATRIÈME HABILETÉ

Une quatrième habileté consiste à formuler le diagnostic de manière à donner à l'aidé de l'emprise sur son problème. Prenons le cas d'un aidé qui se plaint longuement de ses insuccès auprès des femmes d'aujourd'hui, qu'il trouve «plus compliquées que les femmes d'avant».

Il serait en un sens légitime de formuler le diagnostic suivant: «Son problème, c'est que sous l'influence du féminisme, les femmes d'aujourd'hui sont plus exigeantes qu'avant.» Mais un tel diagnostic n'aurait pour effet que d'amener l'aidant à ancrer davantage son aidé dans le sentiment d'être une victime et de ne pas avoir de prises sur son problème.

Un meilleur diagnostic se formulerait comme suit: «Son problème, c'est que ses attitudes machistes font fuir les femmes.» On voit tout de suite comment un aidant qui interviendrait à partir d'un tel diagnostic serait plus porté à confronter son aidé à la part active que ce dernier prend dans son problème. Car s'il est vrai que celui-ci ne peut pas changer «les femmes d'aujourd'hui», il peut par contre entreprendre de modifier sa propre approche à l'endroit de ces femmes.

C'est dans ce sens que la façon de formuler le diagnostic peut faire une différence dans la façon dont l'aidant abordera le problème qui lui est soumis, communiquant alors à son aidé que celui-ci dispose de plus ou moins de pouvoir pour le solutionner.

LA CINQUIÈME HABILETÉ

Un bon diagnostic véhicule dans l'esprit de l'aidant une compréhension simple du problème de l'aidé. Un problème peut être difficile à vivre et la mise en œuvre de sa solution peut s'avérer complexe. Mais la formulation du problème comme telle peut souvent se faire en termes simples et concis.

Voici quelques exemples: «Mon problème, c'est de décider si j'interromps ma grossesse ou si je la mène à terme»; ou: «Mon problème, c'est que ma tendance à me culpabiliser m'empêche de faire un choix éclairé en ce qui concerne la possibilité d'interrompre ma grossesse», ou encore: «Les pressions contraires de mon partenaire et de mes parents face à la possibilité d'un avortement m'empêchent de voir ce que je désire vraiment.»

Dans ces trois cas, on devine que le problème peut être complexe, mais le diagnostic comme tel tient en une phrase relativement courte. C'est là la cinquième habileté, qui consiste à camper en une phrase simple et claire le problème de l'aidé.

Un bon diagnostic est à la fois spécifique et englobant. Le terme spécifique signifie qu'un aidant efficace appelle les choses par leur nom. Il ne dira pas, par exemple: «Son problème, c'est qu'elle a une décision difficile à prendre», mais: «Son problème, c'est de décider si elle interrompt ou non sa grossesse.»

Quant au terme *englobant*, il ne signifie pas *complet*: le diagnostic n'est pas un résumé des difficultés de l'aidé. Le terme *englobant* signifie que c'est la difficulté principale de l'aidé que le diagnostic met en évidence, au besoin dans le contexte de l'ensemble de son fonctionnement. Par exemple, la deuxième formulation évoque directement la tendance de l'aidée à se sentir facilement coupable, et la troisième formulation évoque rapidement les pressions contradictoires du partenaire et des parents qui s'exercent simultanément sur l'aidée.

Cette cinquième habileté est d'autant plus importante que, comme on l'a dit plus haut, la pertinence et l'efficacité des interventions de l'aidant sont souvent fonction du degré de précision qu'il a réussi à atteindre dans la formulation de son diagnostic.

DEUX EXEMPLES DE DIAGNOSTIC

Prenons le cas d'une aidée qui dit se sentir responsable du fait que son ex-conjoint néglige ses enfants, ce qui entraîne chez ces derniers des pleurs et de l'agressivité. Elle se demande si ses enfants lui reprocheront plus tard d'avoir quitté leur père.

Face à cette situation, l'aidante formule le diagnostic suivant: «Je vis une grande peine en voyant mes enfants vivre le deuil de leur père vivant.» Comme il arrive fréquemment chez des aidants en formation, ce diagnostic fait ressortir un sentiment qui a été effectivement exprimé par l'aidée. Cependant, ce sentiment n'est pas le principal, ou en d'autres termes, la tristesse n'est pas le problème majeur de l'aidée.

Un meilleur diagnostic serait: «Mon problème, c'est que j'ai besoin de me confronter à ma culpabilité.» On peut retrouver ici les différentes habiletés qui entrent dans la formulation d'un bon diagnostic:

1. On a utilisé les informations qui ont été spontanément communiquées par l'aidée.
2. On a distingué entre le problème formulé (l'aidée dit se sentir responsable et inquiète) et le problème réel (elle se sent en fait coupable).
3. On a tiré parti de son expérience antérieure (quel aidant n'a pas observé un peu de culpabilité de la part d'un parent divorcé?).
4. On a formulé le problème de manière à donner à l'aidée de l'emprise sur son problème (si celle-ci a

besoin de se confronter à sa culpabilité, elle peut prendre les moyens pour le faire).

5. Enfin, on a campé en une phrase simple et claire le problème majeur de cette aidée.

QUELQUES SOUS-QUESTIONS

Pour en arriver à compléter adéquatement la phrase: «Son problème, c'est...», l'aidant peur recourir à un certain nombre de sous-questions:

1. Qu'est-ce qui se passe dans la vie de cet aidé? Quelles sont les pressions qui s'exercent sur lui présentement?

2. Comment cette personne fonctionne-t-elle? Comment a-t-elle appris à se protéger et à manœuvrer dans les crises?

3. Comment perçoit-elle son univers et les gens qui l'entourent?

4. Qu'est-ce qu'elle dit sur elle-même quand elle s'exprime et se comporte comme elle le fait?

5. Cette personne est-elle en train de vivre une transition plus ou moins critique et si oui, comment cette transition se définit-elle?

L'aidant n'a évidemment pas à répondre à toutes ces questions dès les premières minutes de l'entrevue. Certaines informations nécessaires pour répondre à quelques-unes de ces questions ne deviendront disponibles qu'à mesure que l'aidé s'engagera dans sa démarche.

Mais ces questions sont des points de repère permettant de faire plus facilement et plus rapidement une hypothèse provisoire sur le problème de l'aidé, et donc de stimuler plus efficacement chez celui-ci l'exploration de sa situation personnelle. Chaque aidant pourra découvrir à l'usage quelles sont les questions qui lui sont les plus utiles.

UN EXERCICE

Le lecteur intéressé à développer les différentes habiletés reliées à la formulation du diagnostic peut se reporter aux cas présentés au Chapitre 2. Il s'agit simplement de relire la présentation de chacun des huit cas (en faisant abstraction des réponses de l'aidant), et de compléter la phrase suivante sur une feuille à part, en se mettant à la place de l'aidé:

Cas # 1: «Mon problème, c'est que...»

Cas # 2: «Mon problème, c'est que...»

Etc.

Lorsque cette démarche individuelle se fait au sein d'un groupe, on peut ensuite revenir en groupe sur chaque cas et comparer les différentes formulations individuelles à la lumière des caractéristiques d'un bon diagnostic telles que formulées plus haut.

Ceci fait, on pourra se reporter aux pages suivantes, qui présentent deux diagnostics possibles pour chacun des huit cas, suivis d'un bref commentaire. (Le fait qu'il y ait deux diagnostics par cas reflète le fait que dans bien des cas, l'aidant hésite souvent au début de l'entrevue entre deux versions possibles -ou plus!- du problème de son aidé. Se reporter maintenant au Chapitre 2.

CAS # 1: «Mon problème, c'est que je dois quitter une maison à laquelle je suis très attachée.»

«Mon problème, c'est que je me sens obligée de quitter ma maison.»

Dans le premier diagnostic, l'aidant fait l'hypothèse que le problème principal de son aidée est de s'apprivoiser à une rupture pénible. Dans le deuxième diagnostic, l'aidant a recueilli des indices qui l'amènent à croire que l'aidée s'oblige elle-même à quitter sa maison, probablement à cause de l'image qu'elle a d'elle-même et de ses idées sur ce qu'il convient de faire lorsqu'on est âgé.

CAS # 2: «Mon problème, c'est que je ne sais pas comment intervenir sans blesser ma fille.»

«Mon problème, c'est que je ne peux pas accepter le comportement de ma fille.»

Selon le premier diagnostic, l'aidé tient pour acquis qu'il doit intervenir, et son problème se situe au niveau du comment de cette intervention, alors que le deuxième diagnostic laisse entendre que l'aidé doit se remettre en question dans sa façon de réagir au comportement de sa fille.

Ces deux exemples nous montrent que la formulation du diagnostic n'est pas toujours exempte des valeurs de l'aidant. On peut en effet présumer qu'un aidant favorable à l'institution du mariage privilégiera le premier diagnostic, tandis qu'un aidant favorable à la liberté sexuelle privilégiera le second.

Un meilleur diagnostic serait peut-être quelque chose comme: «Mon problème, c'est que je ne sais pas si c'est ma fille ou moi qui a raison.» (Dans ce dernier cas, ce diagnostic pourrait en même temps constituer un bon reflet.)

CAS # 3: «Mon problème, c'est que mon insécurité me bloque.»

«Mon problème, c'est que je me laisse bloquer par mon insécurité.»

On a ici un exemple de la façon dont, avec le deuxième diagnostic, l'aidant a plus de chances d'amener son aidé à se réapproprier sa responsabilité face à son problème.

CAS # 4: «Mon problème, c'est que mon nouveau travail empiète sur mon rôle de mère.»

«Mon problème, c'est que je suis contrariée de découvrir que j'ai du mal à concilier mon travail à l'extérieur avec mon rôle de mère.»

Même phénomène que dans le cas précédent. Selon le premier diagnostic, le problème de l'aidée est situationnel, indépendant de sa volonté et de son pouvoir. Mais le deuxième diagnostic est formulé de manière à confronter éventuellement l'aidée à la perception qu'elle se fait d'elle-même dans ses rôles de travailleuse à l'extérieur et de mère.

CAS # 5: «Mon problème, c'est que je n'ose pas dire à mon gendre comment je me sens face à son comportement.»

«Mon problème, c'est que je ne suis pas capable de dire non quand quelque chose ne me convient pas.»

Le premier diagnostic se limite au problème formulé, tandis que le second est plus englobant, et donc plus susceptible d'amener l'aidé à prendre conscience de son fonctionnement habituel. En tout début d'entrevue, il peut être difficile de voir si le problème de l'aidé se limite à son gendre, ou si c'est chez lui une façon habituelle de fonctionner. On peut à ce moment garder les deux diagnostics en réserve, jusqu'à ce que des informations subséquentes viennent confirmer l'un ou l'autre... ou en faire émerger un troisième!

CAS # 6: «Mon problème, c'est que je ne sais pas si je devrais ou non avancer de l'argent à mon garçon.»

«Mon problème, c'est que ça me fatigue d'avoir un garçon qui ne se prend pas en main.»

Même phénomène qu'au cas précédent. Il est difficile à ce point-ci de l'entrevue de déterminer si le problème principal de l'aidé porte sur la décision immédiate qu'il a à prendre, ou sur sa frustration chronique à l'endroit de la dépendance de son garçon, dont la dernière demande n'est qu'un exemple de plus.

CAS # 7: «Mon problème, c'est que ma peur de faire de la prison m'empêche d'aller au bout de mes convictions.»

«Mon problème, c'est que l'idée que je me fais des personnes âgées m'empêche d'aller au bout de mes convictions.»

Ces deux diagnostics tentent d'identifier la résistance de l'aidé. Une façon de donner plus de prise à l'aidé sur son problème serait de formuler le diagnostic comme suit: «J'ai besoin de m'apprivoiser à l'idée de me retrouver en prison.»

CAS # 8: «Mon problème, c'est que mon conjoint et moi, on ne se décide pas à mettre notre garçon dehors.»

«Mon problème, c'est que mon conjoint et moi, on démissionne devant les agissements de notre garçon.»

Le premier diagnostic laisse entendre qu'une résistance inconnue empêche l'aidée de passer à l'action. Le second diagnostic se fait plus précis en disant que l'aidée se place dans un rôle de victime.

Avec le premier diagnostic, on peut prévoir que l'aidant sera porté à se centrer sur les sentiments et les ambivalences de l'aidée, tandis que le second diagnostic amènera probablement l'aidant à se faire plus actif et confrontant.

CHAPITRE 8

Le reflet et la focalisation

Le reflet et la focalisation représentent les deux outils majeurs de l'aidant. Avant d'examiner les différents usages que l'on peut en faire, nous jetterons d'abord un coup d'œil au phénomène du champ expérientiel.

LE CHAMP EXPÉRIENTIEL

Le champ expérientiel, ou champ perceptuel, correspond à l'univers personnel de l'aidé, c'est-à-dire à la conscience que celui-ci éprouve de ce qui se passe en lui et autour de lui. Le champ expérientiel représente donc la subjectivité de l'aidé, c'est-à-dire l'ensemble des sentiments qu'il éprouve dans le moment présent.

L'humain est un être complexe. Il se trouve soumis simultanément à une foule de stimuli. Au surplus, son histoire personnelle est tissée d'expériences passées qui sont susceptibles de venir colorer différemment sa réaction à ce qu'il vit présentement.

Enfin, certaines de ces réactions demeurent partiellement enfouies sous le seuil de sa conscience. S'il en est ainsi, c'est en partie parce que ces réactions sont menaçantes pour lui (comme nous le verrons au Chapitre 14), et en partie parce qu'elles sont encore en train de prendre lentement forme en lui.

Ces phénomènes contribuent à donner au champ expérientiel ce qu'on pourrait appeler une structure géologique.

On serait ainsi en présence d'un terrain constitué de différentes couches superposées, représentant chacune un état affectif différent.

Illustrons à l'aide d'un exemple. L'aidé vient d'apprendre que sa conjointe a entrepris des démarches légales en vue d'un divorce. La figure suivante illustre la façon dont son champ perceptuel pourrait être structuré.

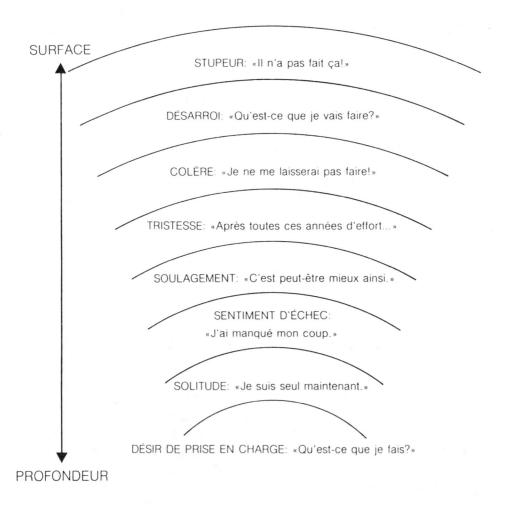

Figure 9: *Une coupe du champ expérientiel*

Faisons l'hypothèse que l'aidé perçoit clairement la présence des deux premiers sentiments, soit la stupeur et le désarroi, qu'il est partiellement en contact avec le sentiment suivant, soit la colère, qu'il n'est en contact avec sa tristesse que d'une façon vague et fugitive, et qu'il n'a pas accès pour l'instant aux autres sentiments sous-jacents (soulagement, sentiment d'échec, etc.).

À strictement parler, le champ perceptuel ne serait constitué que des quatre premières couches, soit celles de la stupeur, du désarroi, de la colère et de la tristesse, puisque le champ perceptuel équivaut au champ de conscience.

Nous avons utilisé indifféremment jusqu'ici les expressions champ perceptuel et champ expérientiel. Mais on peut faire une distinction entre ces deux concepts. Par exemple, un sujet donné peut avoir un comportement agressif, et n'avoir aucune conscience de sa colère. Dans un tel cas, la colère se trouverait tout au fond de son champ. Elle appartiendrait à son expérience (et donc à son champ expérientiel), c'est vraiment lui qui serait en colère. Mais cette colère n'aurait pas encore émergé à la surface de son champ perceptuel.

Le champ présente donc différents niveaux de profondeur et, comme pour un observateur qui naviguerait à la surface d'un lac, les éléments deviennent moins perceptibles à mesure qu'ils sont situés loin de la surface.

Il est peu probable que le sujet de notre exemple ait simultanément accès aux différentes couches de sentiments qui constituent son champ. Pour qu'il puisse entrer en contact avec les couches plus profondes, il faut d'abord qu'il soit passé par les couches plus superficielles.

Comme on l'a vu au Chapitre 5, ceci implique à la fois une prise de conscience et une expression. Or, ce dernier terme est à prendre au sens littéral d'*ex-pression*, c'est-à-dire de *laisser aller de la pression*. Pour cheminer dans l'exploration et la prise en charge de son champ expérientiel, l'aidé aura donc besoin qu'on l'aide à contacter tour à tour chacune des couches constituant ce champ. C'est dans ce sens qu'aider quelqu'un, c'est essentiellement l'accompagner dans l'exploration des différents éléments de son vécu.

LES LIMITES DU REFLET SIMPLE

Le reflet simple consiste à identifier et à nommer le sentiment le plus évident qui est éprouvé par l'aidé, et donc celui qui affleure à la surface de son champ expérientiel. Cette approche par le reflet simple épouse la logique de notre figure, elle respecte le vécu immédiat de l'aidé, et elle est normalement efficace aussi.

Mais il arrive fréquemment que l'impact de ce sentiment de surface ait pour effet d'enfermer l'aidé à ce niveau, lui bloquant par le fait même l'accès aux couches plus profondes de son vécu. Dans un tel cas, le fait de continuer à refléter la stupeur (dans notre exemple) aurait un effet de cercle vicieux.

Plus le sentiment de stupeur serait retourné à l'aidé, plus ce sentiment pourrait s'amplifier, ce qui pourrait amener l'aidé à se protéger contre la menace des sentiments plus profonds.

C'est pourquoi Kinget et Rogers (1965, p. 93) distinguent entre le reflet (notre reflet simple) et l'élucidation, qui est un reflet dirigé vers la couche de sentiment sous-jacente. À strictement parler, l'élucidation est encore un reflet, puisqu'il s'agit toujours de clarifier pour le bénéfice de l'aidé ce que celui-ci exprime plus ou moins confusément. Mais ce reflet vise à amener à la surface un contenu qui était demeuré jusqu'ici partiellement enfoui sous le seuil de conscience.

DIFFÉRENTES FONCTIONS DU REFLET

Cette distinction entre reflet simple (ou reflet du sentiment de surface) et élucidation (ou reflet du sentiment sous-jacent) nous montre que le reflet peut être utilisé différemment. Un aidant habile peut en effet utiliser le reflet de différentes façons, en fonction de l'impact précis qu'il veut exercer sur le processus exploratoire de son aidé. Dans les paragraphes qui suivent, nous examinerons ces différents objectifs.

1. Permettre à l'aidé de clarifier son vécu immédiat

C'est la fonction de base du reflet, qui est surtout d'ordre cognitif: elle tente d'amener l'aidé à prendre conscience de l'émotion qui l'habite, et à s'ouvrir à ce que cette émotion peut avoir à lui dire.

Par exemple, si l'aidé a peur, c'est que quelque chose le menace. S'il est triste, c'est que quelque chose l'a blessé. S'il est en colère, c'est que quelqu'un lui entrave la route ou lui manque de respect, etc.

Exemple: «En vous écoutant parler, c'est comme si je vous sentais déçue d'avoir été fêtée de cette façon.»

2. Reconnaître le sentiment exprimé par l'aidé

C'est seulement quand il sent que l'émotion qu'il a exprimée a été reconnue par l'aidant que l'aidé se sent libre de continuer son exploration. Autrement, il revient à la charge et pourra répéter plusieurs fois dans l'entrevue le message qui n'a pas été reçu, comme si l'insensibilité de son aidant le rendait prisonnier de cette émotion.

Les reflets qui visent cet objectif présentent la même forme que ceux qui visent à faire faire une prise de conscience. Exemples: «Ça t'a fait mal», «Ça vous surprend», «Tu te sens perdu».

3. Vérifier si on a bien compris l'aidé

Il arrive que l'aidant ne soit pas sûr du véritable sentiment éprouvé par l'aidé. Pour éviter tout malentendu et pour être en mesure de bien comprendre ce qui est encore à venir, il utilisera alors un reflet doublement hypothétique (puisque tout reflet est déjà une hypothèse).

Exemples: «Ça t'a fait mal?», «Ça vous surprend?», «Tu te sens perdu?»

4. Permettre à l'aidé de contacter une émotion sous-jacente

Lorsque l'aidé semble prisonnier de l'émotion de surface, un bon reflet pourra lui permettre d'accéder à l'émotion sous-jacente. C'est ce qu'on a appelé plus haut le reflet-élucidation. Dans d'autres cas, il est évident que l'aidé est bien en contact avec son émotion de surface. L'aidant peut communiquer par son regard qu'il a enregistré ce fait, ce qui rend inutile le reflet de cette émotion. Il peut alors se centrer sur l'émotion sous-jacente.

Exemple: «Vous vous dites déçue qu'on ait improvisé votre fête à la dernière minute, mais en même temps je vous sens un peu en colère. Est-ce que je me trompe?»

5. Orienter l'exploration de l'aidé

L'émotion sous-jacente apparaît parfois clairement à l'aidant. Mais il arrive que l'aidé éprouve confusément plusieurs émotions différentes. La frustration peut par exemple recouvrir à la fois de la peur, de l'impuissance, de la culpabilité et de la peine. En reflétant l'une ou l'autre de ces émotions, l'aidant se trouvera donc en fait à orienter l'exploration de l'aidé.

Exemple: «Tu me dis que c'est un bon débarras, mais en même temps, je te sens un peu triste qu'elle soit partie. Est-ce que ça se peut?»

Cette fonction est paradoxale, parce que refléter, c'est d'abord et avant tout retourner en plus clair ce qui est exprimé par l'aidé. Ceci implique que l'aidant se limite à suivre son aidé, alors qu'ici, l'aidant se trouve en fait à le précéder.

Ceci s'explique par le fait qu'un aidant expérimenté arrive parfois à pressentir l'émotion qui vient, ce qui le rend en mesure de battre le chemin devant son aidé, de manière à faciliter l'émergence de l'émotion pressentie.

La différence avec la fonction précédente réside dans le fait que dans ce dernier cas, l'aidant se limitait à nommer l'émotion sous-jacente, tandis que dans le cas présent, l'aidant va poursuivre l'exploration par d'autres reflets et des focalisations.

6. Redonner à l'aidé le contrôle de son exploration

Après des reflets du type précédent ou des focalisations qui ont orienté le processus exploratoire, un reflet plus englobant permet à l'aidé de reprendre les guides de son cheminement. Celui-ci pourra alors se centrer sur le sentiment que les interventions précédentes sont venues faire bouger en lui.

Par exemple, l'aidant a amené son aidé à explorer tour à tour les différents sentiments qu'il éprouve face à sa mère: rancune, colère, culpabilité, tristesse... Il lui dit alors: «Au fond, tu te serais mieux débrouillé sans elle.»

L'aidant referme ainsi la boucle ouverte par ses interventions qui avaient pour effet d'orienter l'exploration. Il reflète le sentiment dominant qui semble se dégager maintenant, remettant ainsi à l'aidé l'initiative de son exploration.

7. Mettre l'aidé en déséquilibre

Un bon reflet est souvent soulageant, parce qu'il est libérant de se comprendre et de se sentir compris. Mais un reflet bien aiguisé peut aussi être menaçant, de par la prise de conscience qu'il vise à provoquer, ce qui devient alors une confrontation.

Exemple: Un aidé se plaint du fait que sa femme travaille maintenant à l'extérieur du foyer: «Les femmes d'aujourd'hui sont prêtes à tout faire au nom de leur fameuse indépendance financière...» Le voyant incapable d'identifier la source de sa frustration, son aidant lui reflète: «Ce n'est pas facile de continuer d'être le protecteur d'une femme qui ne veut plus être protégée.»

Ce reflet est bousculant dans la mesure où il amène l'aidé à contacter son sentiment de détresse et la nécessité de rebâtir son couple sur des bases plus égalitaires.

8. Ralentir le rythme du processus exploratoire

Le rôle fondamental de l'aidant est d'activer le processus exploratoire de son aidé. Mais s'il devient trop rapide, ce processus risque de devenir inconfortable, et à la limite improductif. Ceci risque de se produire après une série de reflets aiguisés, de focalisations et de confrontations.

Comme dans le cas de la 6e fonction, un reflet plus englobant permettra de remettre délicatement à l'aidé le contrôle du rythme de sa démarche.

Exemple: «Au fond, les choses ont bien changé depuis quelques mois, et vous vous seriez bien passé de ça...»

Avec un tel reflet, l'aidant y perd en précision, mais il ouvre un espace permettant à l'aidé de reprendre son souffle.

9. Rassurer l'aidé en dédramatisant son vécu

Un bon reflet évite les jugements de valeur. On dira: «Vous avez développé une forte dépendance à l'alcool», plutôt que: «Vous êtes esclave de la bouteille», ou: «Vous ne vous sentez pas le courage de lui dire la vérité», plutôt que: «Vous avez le goût de lui conter un mensonge.»

De telles formulations ont pour effet de donner la permission à l'aidé de se sentir comme il se sent, et l'encouragent à contacter ce qui fait problème dans son vécu actuel. Le message implicite d'un bon reflet est ainsi le suivant: «Vous avez le droit d'avoir un problème, vous avez le droit de vous sentir comme vous vous sentez, coupable, faible, affolé, envieux...»

L'énumération qui précède n'est pas exhaustive, et un même reflet peut avoir plus d'un type d'impact en même temps. On arrive ainsi à la conclusion que plus l'aidant comprend ce qui se passe (plus son diagnostic est précis, donc), et plus il a de chances d'opter pour une intervention pertinente et efficace.

DIFFÉRENTES FONCTIONS DE LA FOCALISATION

Un reflet portant sur le sentiment ou le comportement pertinent et qui est bien formulé est de nature à stimuler le processus exploratoire de l'aidé. Il arrive cependant qu'après que ce qui a été exprimé ait été bien reflété, l'aidé se retrouve quand même en panne, comme s'il ne savait plus où aller à partir de là.

C'est à ce moment que la focalisation devient utile, pour réactiver le processus exploratoire. Tout comme le reflet, la focalisation peut être utilisée de différentes façons, en fonction des circonstances et de l'effet désiré. En voici les principales.

1. Interrompre les verbalisations déconnectées

Il arrive, surtout en début d'entrevue où il a plus de chance d'être mal à l'aise ou résistant, que l'aidé se trouve prisonnier d'un enchaînement de verbalisations déconnectées de leur charge affective. La focalisation peut alors aider à arrêter le flot de paroles pour inviter l'aidé à contacter ce qu'il éprouve présentement face à son problème.

Exemple: «Ce que tu es en train de me raconter doit être important pour toi puisque tu me donnes beaucoup de détails. Peux-tu faire silence pendant quelques instants et me dire ce que ça te fait vivre de me parler de tout ça?»

2. Faire passer de l'émotion de surface à l'émotion sous-jacente

L'aidé a souvent besoin qu'on le détache délicatement de l'émotion dont il semble prisonnier, pour le centrer sur l'émotion non reconnue que la première sert souvent à masquer, comme c'est souvent le cas de la colère, voilée par la tristesse.

Exemple: «Vous dites que vous êtes triste, mais j'ai l'impression d'entendre autre chose sous cette tristesse. Pouvez-vous essayer de voir ce que ça pourrait être?»

3. Aider à retracer l'origine du sentiment

Un sentiment qui a été correctement identifié demande encore à être mis en perspectives, pour que l'aidé puisse y faire face d'une façon adéquate. Autant il est peu utile de savoir tant qu'on ne sent pas, autant l'inverse peut être vrai. Par exemple, l'aidé peut bien sentir son hostilité, mais il ne pourra pas y faire face de façon constructive tant qu'il n'aura pas identifié la cible exacte de cette colère.

Exemple: «Vous avez réalisé que sous votre tristesse se cache une grande colère. Pouvez-vous essayer de voir contre qui cette colère est dirigée?»

Une aidée qui se disait «féministe» et qui éprouvait de la colère contre les hommes «sexistes» s'aperçut ainsi que cette colère était plutôt dirigée contre son ex-mari qui l'avait longtemps dominée. Mais à l'aide de focalisations, cette aidée s'aperçut finalement qu'elle dirigeait au moins une partie de cette colère contre elle-même: elle s'en voulait de s'être «complue» si longtemps dans un rôle de victime qu'elle entretenait en fait selon elle pour ne pas avoir à se prendre en main.

4. Permettre à l'aidé de se réapproprier son problème

L'aidé a souvent tendance à situer son problème à l'extérieur de lui, sans reconnaître ce qui lui appartient dans ce problème. La focalisation visera ici à amener le sujet à découvrir ce que ce problème lui apprend sur lui-même, à faire un lien entre son fonctionnement personnel ou des actions qu'il a posées, et les résultats qu'il déplore aujourd'hui.

Exemple: Une femme se plaint de sa fille, qui «n'a pas mis les pieds chez elle depuis huit ans». L'aidant lui demande: «Avez-vous une idée de ce qui a pu se passer pour qu'elle agisse comme ça aujourd'hui?» Un homme se plaint d'avoir perdu trois emplois en moins d'un an. L'aidant lui demande: «Avez-vous l'impression qu'il s'agit d'un concours de circonstances, ou si cela attire votre attention sur quelque chose dans votre comportement?»

Dans d'autres cas, il suffira de simples questions comme: «de quoi ça pourrait dépendre, selon toi?», ou: «vous êtes-vous déjà demandé ce qui vous fait réagir si fortement, dans cette situation?»

5. Permettre de résumer le matériel amené par l'aidé

Il arrive, surtout dans la deuxième partie de l'entrevue, que la diversité des pistes ouvertes commence à encombrer le paysage et que l'aidé ait intérêt à se situer face à tout ce matériel. L'aidant peut alors prendre l'initiative de résumer ce qui semble ressortir, mais il peut aussi inviter son aidé à le faire lui-même. Une telle démarche a l'avantage de garder l'aidé dans un rôle plus actif, et aussi de faire ressortir des points qui sont importants à ses yeux et qui n'auraient pas été retenus par son aidant.

Exemple: «On a ouvert plusieurs portes cet après-midi. Pourriez-vous voir en résumé ce que vous avez le goût de retenir de tout ça?»

6. Faciliter l'élaboration de scénarios de prise en charge

Lorsque l'aidé a pris contact avec ses émotions et qu'il a compris pourquoi il se sent ainsi, il doit alors identifier les comportements qu'il veut changer, suite à ces prises de conscience. La focalisation pourra l'aider à amorcer cette démarche, en lui permettant d'élaborer des scénarios de prise en charge.

Exemple: «C'est devenu clair pour toi que tu dois changer de travail. As-tu une idée de la façon dont cela peut se faire?» ou: «Vous semblez décidée à mettre un terme à cette relation dans laquelle vous vous sentez exploitée. Avez-vous le goût d'examiner comment vous prévoyez procéder?»

Lorsque l'aidé se sent obsédé par les contraintes qui semblent le paralyser, on peut stimuler sa créativité en le focalisant comme suit: «Si tu avais une baguette magique, comment aimerais-tu que les choses se passent?» Lorsqu'il a décrit la situation idéale, on peut le focaliser sur la distance qui le sépare dans les faits de cet idéal. Il arrive que cette démarche permette à l'aidé de réaliser que la situation n'est pas aussi fermée qu'il ne l'imaginait, ou qu'il prenne tout à coup conscience de la façon dont il s'empêche lui-même de passer à l'action, et qu'il puisse alors identifier lui-même ses résistances.

Étant donné que beaucoup de scénarios de prise en charge impliquent des négociations avec une tierce personne, la focalisation peut se faire comme suit: «Qu'est-ce que vous auriez le goût de dire à votre mari?», suivi de: «Comment pensez-vous qu'il réagirait à ça?», etc.

7. La focalisation non verbale ou par interjection

Focaliser, c'est essentiellement inviter l'aidé à se faire plus précis sur un aspect de son vécu. Pour ce faire, il suffit souvent d'un signe de tête, d'un silence attentif, ou d'une brève interjection du genre: «ok», «et puis», «oui», «um-um»...

C'est souvent l'absence (calculée) de réaction de l'aidant qui a un impact de focalisation, comme si celui-ci disait: «continue, je ne vois pas le problème jusque-là», ou: «continue, je te suis». Voici un exemple:

Aidée: Ma fille a décidé d'aller rester en appartement.

Aidant: (silence attentif signifiant: «et puis»)

Aidée: Vous savez, elle a juste dix-neuf ans...

Aidant: (silence attentif signifiant: «et puis»)

Aidée: Dix-neuf ans, je me dis que c'est bien jeune
           pour voler de ses propres ailes...

Aidant: Trop jeune? (confrontation)

Cet extrait nous donne une idée de ce qui devrait se passer dans beaucoup d'entrevues. L'aidé fait trois ou quatre interventions, chacune suivie d'un silence attentif de la part de l'aidant, après quoi ce dernier intervient brièvement, et accueille trois ou quatre autres interventions de la part de son aidé.

Cette façon de procéder a pour effet d'imprimer à l'entrevue un rythme confortable, aussi bien pour l'aidé, qui ne se sent pas poussé dans le dos, que pour l'aidant, qui sent qu'il n'a pas à produire une intervention pertinente à toutes les cinq ou sept secondes...

Nous terminerons ce chapitre en donnant quelques exemples de focalisations, regroupés selon les trois étapes que nous avons distinguées dans la relation d'aide au Chapitre 5.

DANS LA PHASE DESCENDANTE

Comment te sens-tu présentement? (ou: Qu'est-ce qui se passe présentement?)

Comment te sens-tu par rapport à lui? (ou: par rapport à ça?)

Qu'est-ce que ça te fait vivre?

Si elle était devant toi, qu'est-ce que tu aurais le goût de lui dire?

Qu'est-ce qui te fait le plus peur, là-dedans? (ou: qui t'agace le plus, ou: qui te frustre le plus...)

Qu'est-ce que ça te fait de réaliser ça? (...de te faire dire ça?)

Vous dites que votre mari vous fait toujours sentir inférieure. Est-ce qu'on pourrait regarder une situation concrète, par exemple, la dernière fois où ça s'est produit?

En dessous de ta déception (ou de ta frustration), est-ce qu'il y aurait autre chose?

DANS LA PHASE INTERMÉDIAIRE

Qu'est-ce que ça te dit sur toi, cette peur-là? (ou: cette culpabilité-là, ou: cette frustration-là, etc.)

D'où est-ce que ça peut venir, cette peur-là? (etc.)

Tu dis que tu as toujours eu de la difficulté avec lui. T'es-tu déjà demandé pourquoi?

Pourquoi penses-tu que tu réagis comme ça?

Comment t'expliques-tu ton comportement?

Qu'est-ce que vous retenez de tout ça?

DANS LA PHASE ASCENDANTE

Comment prévoyez-vous vous organiser, maintenant?

Comment est-ce que tu aurais le goût de t'y prendre pour changer?

Si tu avais une baguette magique, qu'est-ce que tu ferais?

Comment est-ce que tu vas t'y prendre pour lui dire ça?

Si la situation se représente, comment est-ce que tu vas réagir?

Qu'est-ce qui vous attend, maintenant?

Ça serait quoi, la solution à ton problème?

Notons enfin que plusieurs adverbes peuvent faire de bonnes focalisations: comment ça? depuis quand? souvent? c'est pire? pourquoi? malgré toi? de plus en plus? nulle part? souvent? jamais? tout le temps? à ce point-là? trop?

Ceci termine notre exploration de ces deux outils majeurs de la relation d'aide que constituent le reflet et la focalisation.

CHAPITRE 9

La recherche de la solution

Beaucoup d'aidants initiés à l'approche rogérienne sont réticents à l'endroit d'interventions centrées sur la solution du problème. Cette résistance se comprend bien. On manque souvent son coup en se centrant prématurément sur le problème tel que l'aidé l'a formulé plutôt que sur ce qui se déroule présentement dans l'univers subjectif de ce dernier.

Prenons un exemple. Un homme confie: «J'ai découvert un cours de loisirs de plein air qui m'attire beaucoup. Mais pour le suivre, il faudrait que je laisse mon emploi de mécanicien...»

Contrairement à ce que certains aidants inexpérimentés seraient portés à faire, il n'est pas indiqué de se centrer sur la solution du problème à ce stade-ci de l'entrevue. La raison en est bien simple: compte tenu du peu d'informations dont il dispose, l'aidant n'est simplement pas en mesure de se faire une idée valide du problème réel de son aidé.

L'aidant peut bien sûr imaginer des éléments de solution qui seraient éventuellement pertinents pour le problème formulé: «As-tu pensé à t'informer s'il existe des débouchés pour ce cours?», «As-tu pensé à demander des prêts et bourses?», «Trouves-tu que ça serait une bonne idée d'en parler à ton patron?», «As-tu pensé que tu pourrais continuer à travailler à mi-temps?»...

Mais l'ennui, c'est qu'on ne sait pas encore si le problème formulé présente un lien avec le problème réel. Il se peut que le problème réel ait finalement peu de liens avec le problème formulé. Dans un tel cas, les suggestions objectivement valables de l'aidant n'auront pour effet que de distraire l'aidé de son exploration, plutôt que de la lui faciliter.

Ce problème réel, il peut être de dix ordres différents. Problème de relations personnelles: l'aidé regarde ailleurs parce qu'il a son travail actuel en aversion, et ceci, parce que tous ses compagnons de travail le rejettent. Mais si tout le monde agit ainsi, c'est parce que l'aidé s'organise inconsciemment pour se faire rejeter. Serait-il plus heureux à long terme dans un autre milieu de travail?

Problème de fatigue: le mois de mars n'en finit plus, et la seule mention de loisirs de plein air lui fait miroiter des images irrésistibles de natation et de canot, de soleil et d'oiseaux. Mais s'il prenait plutôt deux semaines de vacances?

Manque de contacts humains: au fond, l'aidé ne déteste pas vraiment la mécanique, qui lui procure en plus un revenu intéressant. Mais il aimerait bien être davantage en contact avec des jeunes, par exemple dans un mouvement scout ou comme bénévole dans un autre projet. Mais il lui faudrait clarifier ses intérêts et explorer les ouvertures.

On pourrait multiplier les possibilités, pour arriver à la même conclusion: les solutions les plus brillantes ne sont d'aucune utilité quand on ignore encore le problème véritable qui se pose.

LES AIDANTS AUTODIDACTES

Les personnes qui se sont initiées par elles-mêmes à la relation d'aide sont souvent portées à se centrer tout de suite sur la solution du problème qui leur est soumis. Ceci s'explique d'une part parce qu'elles n'ont pas appris à faire des reflets et des focalisations, et d'autre part par le succès qu'elles ont eu par le passé à régler les problèmes qui leur étaient confiés.

Mais ce faisant, ces aidants mettent en place un cercle vicieux: plus ils se centrent sur la solution et moins ils développent les habiletés d'écoute, de reflet et de focalisation;

et moins ils écoutent, reflètent et focalisent, plus ils sont portés à se centrer sur le problème pour tenter de le régler.

On comprend bien dès lors la réaction des formateurs qui ont affaire à de tels aidants: ils doivent leur demander d'oublier le problème et la solution pour apprendre à se centrer sur l'univers subjectif de l'aidé.

Outre le fait qu'il soit risqué de tenter de régler un problème qu'on ne connaît pas encore, la réaction de ces formateurs se justifie autrement. Même dans le cas où l'aidé formule bien son problème, celui-ci doit d'abord explorer comment il se sent face à ce problème.

Beaucoup de situations, en effet, paraissent insolubles parce que le cadre de référence dans lequel elles sont pensées est trop étroit. Il arrive souvent qu'une solution existe, mais que celle-ci se trouve en dehors du cadre dans lequel le sujet confine sans s'en rendre compte sa recherche désespérée.

Pour trouver cette solution, le sujet devra donc d'abord se dégager de la problématique dans laquelle il s'est enfermé. Or, cet élargissement de perspectives se trouve grandement facilité par l'entrée en contact du sujet avec ses émotions. Par exemple, il est frustré d'avoir été congédié et songe à exercer des recours légaux qui sont par ailleurs hors de prix et presque sûrement voués à l'échec. Mais une exploration plus poussée lui permettrait de réaliser qu'il était fatigué de ce travail, et que ce congédiement lui permettra de se réorienter dans une direction dont il rêvait secrètement depuis quelque temps.

Les émotions et les sentiments sont en quelque sorte des informations que le sujet peut utiliser pour mieux comprendre ce qui lui convient dans la situation présente. Le psychiatre Lowen (1983, p. 242) écrit dans ce sens: «Si les sentiments sont forts, on sait ce que l'on veut. Il ne reste plus qu'à penser à la manière de l'obtenir, et même dans ce cas on peut se laisser guider par ses sentiments. (...) Les difficultés surviennent quand les sentiments sont ambivalents ou quand ils sont refoulés.»

Ceci revient à dire que même lorsqu'on est raisonnablement sûr que le problème formulé coïncide avec le problème réel, la meilleure façon de parvenir à la solution qui convienne le mieux à l'aidé consiste à bien franchir les deux premières phases du processus d'exploration.

UNE QUESTION D'ÉTAPES

On a vu au Chapitre 5 que l'aidé demande trois choses à son aidant, soit de l'aider à s'exprimer, de l'aider à se comprendre, et de l'aider à changer. Or, l'un de ces besoins est habituellement dominant, c'est-à-dire qu'il est théoriquement possible de situer cet aidé à l'une ou l'autre phase du processus exploratoire, que nous rappelons ici.

La question de se centrer ou non sur la solution se pose donc d'une façon différente selon l'étape à laquelle on est rendu

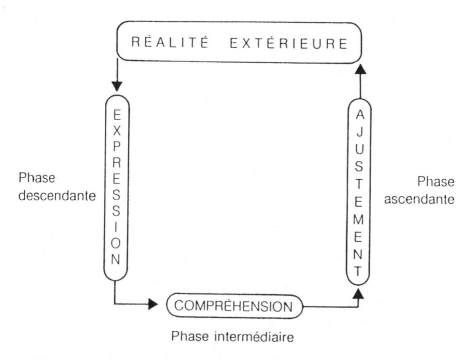

Figure 10: *Un schéma simplifié de la relation d'aide*

dans le processus de la relation d'aide. S'il n'est pas utile de se centrer sur la solution à l'étape de l'expression ou de la compréhension, il serait inadéquat de ne pas se centrer sur le changement (sur la solution) lorsque l'aidé est parvenu à l'étape de l'ajustement.

Il arrive même que certaines personnes qui demandent de l'aide se trouvent précisément à la frontière entre la phase intermédiaire et la phase ascendante. Ces personnes sont déjà en contact avec ce que leur problème leur fait vivre (elles ont franchi l'étape de l'expression), et elles ont une bonne idée aussi des racines de ce problème (elles ont traversé l'étape de la compréhension).

Ce que ces personnes demandent alors à leur aidant, c'est précisément de les aider à trouver la solution à leur problème. À ce moment, il serait inutile de refléter ou de focaliser sur les sentiments («comment vous sentez-vous présentement?»), et il serait tout aussi inutile d'interpréter ou de focaliser sur la compréhension («qu'est-ce que ce problème vous dit sur vous-même?»). L'aidant peut et doit alors se centrer sur l'exploration de la solution et ceci, même s'il est en tout début d'entrevue.

C'est dire l'importance que revêt le diagnostic pour la conduite de l'entrevue. L'aidant qui n'a pas d'idée de l'endroit où son aidé se trouve sur la trajectoire exploratoire sera bien en peine d'intervenir d'une façon pertinente, que ce soit avec des reflets, des interprétations ou des focalisations.

En revanche, l'aidant qui a une bonne idée du besoin dominant de son aidé se trouve en position pour intervenir d'une façon productive dès le début de l'entrevue. L'aidant n'est évidemment pas un devin, et il peut arriver qu'il ne réussisse pas à identifier le besoin dominant de son aidé d'une façon suffisamment claire. Le plus simple est alors de lui demander directement: «avez-vous une idée de ce que vous attendez de moi?», «avez-vous une idée de ce qui vous aiderait, présentement?», «qu'est-ce qu'il vous semble le plus important de comprendre, présentement?»...

LES NOUVELLES BOUCLES

À un moment donné, il devient clair que l'aidé est bien en contact avec ses sentiments et qu'il s'est approprié son problème, c'est-à-dire qu'il a pris conscience de la façon dont ce problème est relié à sa façon personnelle de penser et d'agir. Il y a alors lieu de se centrer sur la solution.

Comme Lowen le laissait entendre plus haut, beaucoup d'aidés trouvent spontanément la solution de leur problème dès lors qu'ils ont bien franchi les deux premières étapes de leur exploration. Il s'agit alors de se préparer émotivement à passer à l'action. Tout changement est de nature à entraîner des résistances face au risque de l'inconnu. Et beaucoup de changements entraînent aussi la nécessité d'un certain travail de deuil à l'endroit des pertes qu'ils impliquent.

Par exemple, une aidée en vient à la conclusion qu'elle doit mettre un terme à une relation qui la détruit. Mais la rupture ne sera pas nécessairement facile, et il lui faudra peut-être faire le deuil de plusieurs avantages que cette relation pénible lui apportait quand-même, par exemple au plan matériel.

Ces résistances et ce travail de deuil pourront facilement amener l'aidée à s'engager dans une nouvelle boucle expression-compréhension-ajustement. Dans cette nouvelle démarche, l'aidée sera amenée à explorer comment elle se sent face à la perspective de cette rupture (phase d'exploration) et pourquoi elle réagit comme elle le fait (phase de compréhension).

Le cheminement dans cette boucle lui permettra de progresser dans la phase d'ajustement, et de devenir ainsi de plus en plus prête à vivre effectivement cette rupture au moment et de la façon qui lui conviennent le mieux.

LA MULTIPLICATION DES SCÉNARIOS

Ce ne sont cependant pas tous les aidés qui débouchent plus ou moins naturellement sur la solution appropriée. Dans beaucoup de cas, l'aidé vivra autant d'impuissance et de confusion à la phase d'ajustement qu'aux phases précédentes. À ce moment, l'aidant pourra stimuler le processus exploratoire de son aidé en tentant de multiplier, avec la participation de l'aidé, ce qu'on pourrait appeler des scénarios de changement.

Établir un scénario de changement, c'est préciser une façon de mettre en œuvre le changement désiré. Or, beaucoup d'aidés vivent de l'impuissance et de la confusion parce qu'ils se trouvent prisonniers d'un scénario unique et qui ne leur convient pas vraiment.

Pour libérer ces aidés de leur prison, il s'agit alors de multiplier ces scénarios. L'idée sous-jacente à cette démarche est que plus ces scénarios seront nombreux, plus l'intéressé aura de chances de découvrir celui qui lui convient le mieux. Multiplier les scénarios de changement, c'est dans ce sens augmenter la liberté de l'aidé, lui donner davantage de pouvoir sur la direction qu'il veut désormais imprimer à sa vie.

Par exemple, il y a bien des façons de communiquer à un partenaire la décision qu'on a prise de rompre avec lui. On peut le lui dire de vive voix ou par écrit; on peut le lui dire directement et tout d'un coup ou le lui dire progressivement, en lui communiquant de plus en plus clairement ses insatisfactions et son désir de se réorienter; on peut le lui dire seul ou avec l'aide d'un aidant, ou encore en compagnie d'amis intimes; on peut le lui dire à un moment où on se sent proche de lui, ou au contraire à un moment où on se sent énergisé par l'agressivité que l'on éprouve à son endroit, etc.

En alignant ces scénarios, l'aidant se trouve à stimuler le processus exploratoire de son aidé, tandis qu'en lui proposant un scénario unique, il risque de lui communiquer à son insu le message suivant: «Fais cela, et ton problème sera réglé.»

LE LONG TERME ET LE COURT TERME

La thérapie formelle s'étend d'habitude sur plusieurs mois, voire sur quelques années. Dans ce contexte, le focus porte souvent moins sur un problème à régler que sur la façon dont l'aidé est porté à régler l'ensemble de ses problèmes.

Dans le cas de la relation d'aide semi-formelle à laquelle nous nous intéressons ici, par contre, les perspectives sont d'habitude beaucoup plus à court terme, ce qui rend légitime le fait de se centrer sur un problème précis pour lequel une solution est requise dans un avenir assez proche.

Dans de telles perspectives, l'objectif de l'aidant n'est pas d'aider le sujet à opérer des réaménagements significatifs dans sa personnalité, mais de stimuler l'exploration de son vécu actuel de manière à pouvoir parvenir à des ajustements pertinents, suite à cette exploration.

Ceci permet de relativiser la crainte fréquemment exprimée à l'effet que «donner un conseil, c'est créer de la dépendance». Il est vrai qu'imposer un conseil, fût-ce d'une façon subtile, c'est priver l'aidé de l'occasion d'apprendre à découvrir comment il se sent et pourquoi il se sent de cette façon. Mais le fait de multiplier des scénarios peut difficilement être vu comme le fait d'encourager la dépendance, surtout si l'aidant prend soin par la suite d'inviter son aidé à réagir par rapport à ces scénarios.

Au demeurant, on a dit plus haut que la mise en place de ces scénarios devait avoir lieu «avec la participation de l'aidé». À cet effet, la focalisation s'avère souvent une meilleure intervention qu'une suggestion venant de l'aidant, parce qu'elle garde l'aidé dans un rôle actif.

Par exemple, plutôt que d'aligner les scénarios qu'on a évoqués plus haut dans le cas du projet de rupture, l'aidant peut demander à son aidée: «As-tu une idée sur la façon dont tu pourrais communiquer à ton ami ta décision de le quitter?» Et par la suite: «Est-ce qu'il y a d'autres façons dont tu pourrais t'y prendre?»

Ce n'est que lorsque l'aidée se trouve à court de scénarios que l'aidant peut alors prendre la relève, et ajouter ceux qu'il a lui-même en tête.

Ou encore, face à un aidé qui a pris conscience du fait qu'il est passablement autoritaire avec ses enfants, et qui a pris conscience aussi de la source de ce comportement: «Auriez-vous le goût de prendre une situation concrète et de voir comment vous aimeriez réagir avec vos enfants?»

Outre la focalisation, l'aidant dispose aussi de la confrontation, qui est une intervention déséquilibrante. Il pourra par exemple demander à son aidée: «Bon, c'est devenu clair pour vous que vous devez quitter votre ami. Alors, vous lui dites ça quand?» Une telle intervention n'a pas pour but d'amener l'aidée à passer tout de suite à l'action, mais de lui permettre de prendre contact avec les résistances qui l'habitent face à cette perspective. Comme toute bonne intervention, cette confrontation a donc uniquement pour but de stimuler le processus exploratoire de l'aidée.

Autre exemple de confrontation: «J'ai l'impression que vous êtes moins prête à passer à l'action que vous le disiez tantôt. Est-ce que je me trompe?» Techniquement, cette intervention est un reflet (des résistances). Mais dans le contexte, elle a un effet déséquilibrant, si elle provoque une prise de conscience déroutante pour l'aidée. Elle devient alors une confrontation, comme nous le verrons plus loin, au Chapitre 13.

Il peut même arriver que l'aidant exerce légitimement une légère pression sur son aidé pour que celui-ci s'engage dans une direction qui apparaît souhaitable à tous deux. Pensons à un aidé qui rêverait de terminer son Secondaire mais qui aurait par ailleurs une image négative de lui-même et qui s'empêcherait de passer à l'action par peur de l'échec.

L'aidant pourrait lui suggérer avec un certain enthousiasme de commencer par s'inscrire d'abord à un seul cours (celui qui l'attire le plus!), et de voir par la suite. On suppose évidemment que l'aidant ne ferait cette suggestion qu'après avoir exploré au préalable les sentiments de l'aidé, ses goûts et ses aspirations, ses résistances, sa tendance à se percevoir négativement et à se donner peu de chances... (voir Corey, 1986, p. 382).

Nous terminerons le présent chapitre en précisant différentes tâches auxquelles l'aidant se trouve confronté à la phase de l'ajustement.

1. Aider le sujet à découper sa solution en démarches successives, de manière à mieux identifier les enjeux de chaque étape, les ressources qu'il aura à déployer à chacune d'entre elles, et le support dont il pourra avoir besoin à ce moment.

2. Aider le sujet à dédramatiser les échecs qu'il pourrait connaître, non pas dans le style: «Si ça ne marche pas, ce n'est pas grave», mais dans le style: «J'ai le droit de me tromper, je ne suis pas obligé de réussir du premier coup...»

3. Permettre à l'aidé de doser les défis de son changement, de manière à se préparer à relever des défis plus exigeants en remportant d'abord des victoires plus modestes.

Ces points de repère s'appliquent lorsqu'il s'agit d'une décision relativement importante à laquelle le sujet doit s'apprivoiser un peu. Dans beaucoup d'autres cas, le sujet n'a pas de décision à prendre (et donc pas de scénario de changement à élaborer), et il ne fait appel à un aidant semi-formel que dans le but de clarifier un peu ce qu'il vit. L'aidant doit donc ajuster dans chaque cas ses interventions aux besoins de son interlocuteur.

CHAPITRE 10

Les réponses évaluatives

Nous avons parlé plus haut de l'évaluation, qui consiste à blâmer (ou à approuver) l'aidé de penser ou d'agir comme il le fait. Cette évaluation peut porter autant sur les faits et gestes passés de l'aidé («Vous n'auriez pas dû faire ça») que sur ses réflexions ou ses actions présentes («Vous avez tort de penser comme ça») ou sur ses intentions («Vous devriez -ou vous ne devriez pas- faire ça»).

L'évaluation implique d'habitude une référence aux valeurs et aux croyances personnelles de l'aidant, qui les projette sur l'univers de son aidé, comme s'il se disait en lui-même: ce qui est bon pour moi est nécessairement bon pour l'autre, les principes que j'ai faits miens doivent s'appliquer à lui aussi.

Par exemple, une aidante se dira en elle-même: «Si je me suis permis (ou interdit) un avortement, mon aidée devrait s'en permettre (ou s'en interdire) un elle aussi.» Ou un aidant dira: «Si je me suis permis (ou interdit) une relation extra-conjugale, mon aidé devrait s'en permettre (ou s'en interdire) une lui aussi.»

L'APPROBATION ET LE SUPPORT

Lorsque l'aidant projette, consciemment ou non, ses croyances personnelles sur le vécu de son aidé, ce phénomène se traduit par une désapprobation ou par une approbation plus ou moins subtile des faits et gestes de l'aidé. L'approbation constitue en effet une façon d'évaluer et de contrôler. Sur le coup, il est évidemment agréable de se faire approuver, de se faire dire: «Vous avez bien fait!» Les aidants comme les aidés sont par conséquent portés à percevoir ce type d'intervention comme du support et non pas comme de l'évaluation, qu'ils réservent pour les reproches et les blâmes.

L'approbation représente toutefois une arme à double tranchant. Qu'arrivera-t-il en effet lorsque l'aidé reparlera plus tard d'une situation semblable, et que cette fois, son aidé ne l'approuvera pas? Ne sera-t-il pas porté alors, et à bon droit, à interpréter ce silence comme une désapprobation?

C'est pourquoi, si l'on tient à exprimer du support, il vaut mieux utiliser le reflet, qui permet habituellement à l'aidé de retrouver son équilibre en se sentant rejoint et compris dans ce qu'il vit. Outre le reflet, l'intervention qui est la plus apte à communiquer du support est le contact visuel. Charest (1989, p. 11) termine une revue de littérature sur le sujet en concluant que «le contact visuel contribue non seulement à rendre l'entrevue thérapeutique intime, mais aussi à traduire un sentiment de valeur personnelle au client souffrant d'une faible estime de soi».

Lorsqu'il prend la forme d'une approbation verbale, le support constitue en fait une permission qui est donnée à l'aidé de penser ou d'agir comme il le fait. Cette permission a bien souvent pour effet de déculpabiliser l'aidé, et donc de l'aider à intégrer émotivement une démarche qui s'avère ou qui s'est avérée difficile ou douloureuse pour lui.

Certaines situations justifient peut-être de telles permissions. Prenons un exemple. À quatre-vingt-cinq ans, Madame ne se résout pas à ce que son conjoint, malade et en perte d'autonomie, soit hébergé en centre d'accueil: elle se sentirait trop coupable de l'abandonner. Son aidante lui dit: «Vous savez, je ferais la même chose si j'étais à votre place.»

En principe, il est préférable de refléter la culpabilité et les autres résistances qui sont là et de les travailler, plutôt que d'inviter l'aidé à arrêter de se sentir coupable et de résister. Mais il arrive dans les faits que certaines permissions données à l'aidé aient pour effet de lui épargner de la misère matérielle et des tourments intérieurs.

DÉSAPPROUVER ET INTERDIRE

Si l'approbation entraîne une permission, la désapprobation entraîne logiquement une défense ou une interdiction. Par exemple, une femme âgée s'exprime comme suit: «Je ne peux pas comprendre pourquoi ma fille a coupé tout contact avec moi depuis huit ans. Elle n'a même pas assisté aux funérailles de son père, il y a quatre ans.» Son aidant lui répond: «Vous ne trouvez pas que vous vous êtes fait assez mal depuis le temps que vous pensez à ça?»

Cette intervention se voulait probablement un support ou une solution: «Arrêtez de penser à ça et vous allez arrêter d'être triste.» Mais si on les regarde de plus près, ces paroles reviennent en fait à reprocher à l'aidée d'avoir un problème, et à lui ordonner de ne plus en avoir!

Ce phénomène est fréquent. Par exemple, l'aidé dit qu'il se sent tendu, et son aidant lui dit de se détendre (et donc, d'arrêter d'avoir un problème); ou l'aidée confie qu'elle a de la difficulté à rejoindre son conjoint ces temps-ci, et son aidant lui répond qu'il faut qu'ils se parlent, tous les deux.

Même des réactions de l'aidant qui se veulent du support et qui sont apparemment anodines peuvent constituer des interventions évaluatives. Par exemple, l'aidé décrit une situation qui provoque chez lui du désarroi et de l'anxiété, et il se fait répondre: «Ce n'est pas grave» ou «C'est normal».

On peut présumer que l'aidant tente ici de dédramatiser la situation pour permettre à son aidé de mobiliser plus facilement ses ressources. L'intention est bonne, mais le message reçu peut souvent être le suivant: «Vous avez tort de vous en faire pour si peu», et pire encore: «Les gens normaux ne se laissent pas arrêter par ces enfantillages»...

Certaines réprobations et interdictions portent non pas sur la situation problématique comme telle, mais sur la décision que l'aidé s'apprête à prendre. Par exemple, une femme enceinte se demande si elle poursuivra sa grossesse, et son aidant lui dit: «Vous faites ce que vous voulez, mais si vous vous faites avorter, n'allez pas vous imaginer que vous allez vivre ça sans culpabilité.»

Cet aidant se disait accueillant de la décision de son aidée, quelle qu'elle soit. Mais la formulation utilisée montre bien qu'il évaluait négativement l'avortement et qu'il tentait de dissuader son aidée d'opter dans ce sens.

Dans d'autres cas, c'est l'inaction de l'aidé qui sera dévalorisée et interdite. L'aidant dira par exemple: «Qu'est-ce que tu attends pour lui parler?», ou «Quand est-ce que vous allez vous décider?»...

LE CONTRÔLE LÉGITIME

Il peut arriver que l'aidé se prépare à poser un geste impulsif qui entraînera selon toute probabilité un dommage grave à son endroit. Pensons à un geste suicidaire, à une démission donnée impulsivement, à la vente d'une propriété sous le choc d'un deuil ou d'une rupture...

Dans de telles situations, l'aidant peut sentir qu'il doit intervenir pour dissuader son aidé de passer à l'action. Mais ceci, non pas parce qu'il se sent personnellement menacé dans ses valeurs par le geste envisagé, que ce soit de mettre fin à ses jours, de quitter un emploi ou de vendre un immeuble. L'intervention serait motivée ici non pas par le principe du geste, mais par les circonstances dans lesquelles celui-ci est posé.

Ce qui est recherché ici par l'aidant, c'est non pas une restriction de la liberté de l'aidé («Ne vous faites pas avorter», ou «Ne déménagez pas»), mais une augmentation de cette liberté: «Le geste que vous vous apprêtez à poser m'apparaît sérieux dans ses conséquences, et vous ne me semblez pas présentement en état de prendre une décision qui vous convient vraiment. Pouvez-vous vous donner vingt-quatre heures pour y penser et venir m'en reparler demain?»

Qu'il s'agisse de permettre ou au contraire d'interdire une décision ou un geste donné, il peut donc arriver que l'évaluation soit empreinte de légitimité. Comme dans tous les types d'intervention, mieux vaut donc éviter les tabous et ne pas condamner sans appel tel ou tel type d'intervention, que ce soit l'évaluation, l'interprétation, la solution ou l'implication personnelle.

REFLÉTER OU FOCALISER PLUTOT QU'ÉVALUER

Outre certains cas limites, il reste que l'évaluation a d'habitude pour effet de ralentir le processus exploratoire de l'aidé en suscitant des résistances plus ou moins conscientes de sa part, comme s'il se disait: «Si je suis pour me faire blâmer ou pour me faire imposer des façons de voir, je vais me taire.»

Par exemple, à soixante-cinq ans, Madame a un petit-fils adolescent qui est négligé par sa mère et avec lequel elle a une relation privilégiée. Mais cette femme trouve que les attentes de son petit-fils à son endroit sont parfois exigeantes, et elle veut explorer la situation.

Son aidante lui dit: «Je trouve que votre support financier, c'est déjà beaucoup.» Cette intervention se voulait un support, mais elle peut être interprétée comme suit: «Ne vous sentez pas coupable de ne pas en faire plus», et plus encore: «Arrêtez de vous tracasser sans raison pour quelqu'un dont vous n'êtes pas responsable.»

Si l'aidée désire s'impliquer davantage dans le cheminement de cet adolescent, l'intervention qui précède l'empêchera de se sentir libre d'explorer ce désir, d'autant plus que cela l'amènerait à explorer aussi les résistances qu'elle éprouve en même temps face à ces perspectives.

Mieux aurait valu refléter comme suit: «Vous êtes déjà impliquée financièrement mais vous voudriez faire plus, sans savoir exactement où placer vos limites.» On constate une fois de plus que c'est souvent faute de pouvoir faire un bon reflet que l'aidant sera porté à aller vers une intervention moins appropriée, que ce soit une évaluation, un conseil ou une solution, un support ou une implication personnelle non nécessaire...

Lorsque l'aidant a par ailleurs manifesté par l'ensemble de ses interventions qu'il est respectueux et à l'écoute, certaines évaluations-contrôle légères, bien que techniquement inappropriées, n'auront pas pour effet de freiner l'exploration mais de la stimuler, comme si, dans le but de mieux se faire comprendre, l'aidé se trouvait encouragé à livrer davantage de son vécu.

Voici un exemple. Madame a quatre-vingt-six ans et elle se plaint de son mari, qui passe ses journées couché sans s'occuper d'elle. Pour compenser, elle avoue parler beaucoup avec un chat et un ourson en peluche. Son aidante lui dit: «Vous ne pensez pas que votre mari peut se sentir délaissé lorsque vous parlez à vos animaux en peluche plutôt qu'à lui?»

L'évaluation est claire ici: «Vous devriez parler à votre mari plutôt qu'aux animaux...» Mais suite à cette intervention, l'aidante note que son aidée «est retournée quarante ans en arrière pour lui parler de son mari et de leurs problèmes de couple».

Dans un tel cas, on est bien en présence d'une légère réprobation, mais le climat affectif global de la relation demeure respectueux et acceptant. L'inverse se produit parfois. L'aidant peut intervenir avec ce qui peut être techniquement classé comme un reflet ou une reformulation, mais il se sent tellement menacé par le vécu de son aidé (par exemple s'il s'agit d'homosexualité), que cet aidé percevra à juste titre cette intervention comme un blâme déguisé.

Les interventions qui peuvent être techniquement classées comme des évaluations n'ont donc pas toujours des effets désastreux. Dans beaucoup de cas, cependant, l'aidant perspicace pourra noter une baisse de l'implication de son aidé, quand ce ne sera pas clairement un changement de sujet de sa part, ou tout simplement l'interruption de la relation. Mieux vaut donc s'en abstenir, habituellement au profit de reflets ou de focalisations.

Voici un exemple d'un effet nuisible de l'évaluation. L'aidé demande à son aidant: «Que ferais-tu si tu découvrais que tu en as marre de ton épouse et que la seule chose qui compte maintenant pour toi, c'est l'amour d'une autre femme que tu viens de rencontrer?»

Malgré la formulation utilisée («Que ferais-tu?»), on peut penser que l'aidé n'éprouve aucun intérêt pour les réactions hypothétiques de l'aidant, et que ce qu'il lui demande en fait, c'est ceci: «Aide-moi à me demander à moi-même ce que j'ai le goût de faire...»

L'aidant réussit à éviter le piège de la question, et se centre tout de suite sur la subjectivité de son aidé: «Je crois comprendre que tu as presque décidé d'abandonner ta femme. C'est ça?»

Dans cette intervention, l'évaluation est subtilement logée dans le terme *abandonner*. On peut présumer que l'aidé se sent coupable de songer à mettre un terme à son mariage, et que le terme *abandonner* vient sanctionner cette culpabilité. Dans ces conditions, il risque fort d'entendre: «Irais-tu jusqu'à abandonner ta femme? Tomberais-tu aussi bas?»...

Il faut donc éviter qu'il y ait non seulement réprobation, mais apparence de réprobation, en employant des termes descriptifs et exempts de jugement: «Tu songes à mettre un terme à ton mariage, c'est ça?» Incidemment, mieux vaudrait refléter le désarroi latent qui est exprimé par l'aidé: «Tu te sens coincé entre un amour naissant et un mariage qui te semble mort?»

L'entretien se poursuit. L'aidé dit: «J'en ai marre de ma femme et de ma routine» et l'aidant enchaîne: «Essayons d'analyser tous les morceaux de la mosaïque. Commençons avec tes enfants. As-tu pensé à eux?»

L'aidant commet ici deux erreurs. La première est de détourner son aidé de ce qui semble présentement important pour lui, soit sa grande lassitude, pour le centrer sur un thème dont il n'a pas été question jusqu'ici, soit ses enfants. La seconde erreur est de formuler encore une fois son intervention en termes de réprobation voilée: «As-tu pensé à tes enfants?»

On peut faire la même observation que plus haut. Dans la mesure où l'aidé se sent coupable de ses fantaisies de divorce, il ne pourra pas manquer de se sentir accusé d'abandonner non seulement sa femme, mais ses enfants aussi.

Et de fait, la suite de l'entrevue nous montre que l'aidé décide alors de mettre un terme à son exploration, en changeant de sujet. Il se met alors à parler de la dernière décision «stupide» de son patron, sur lequel d'ailleurs il dirige peut-être l'irritation qu'il éprouve à l'endroit des interventions subtilement agressantes de son aidant...

Le présent chapitre est donc un appel à la vigilance. L'aidé a rarement besoin qu'on lui dise comment penser et quoi faire. Il a au contraire souvent besoin qu'on lui communique notre empathie et notre acceptation, de manière à ce qu'il en vienne lui-même à mieux accueillir tous les éléments de sa réalité personnelle, y compris les plus menaçants.

Voyant plus clair en lui et se sentant davantage en confiance, l'aidé deviendra davantage en mesure alors d'identifier par lui-même les limites et les coûts de ses comportements ou de ses décisions. Dans le cas contraire, on pourra toujours penser à le confronter, mais ceci est une autre histoire, que nous réservons pour un autre chapitre.

CHAPITRE 11

L'implication de l'aidant

L'aidé se présente en entrevue avec une histoire personnelle qui l'a marqué: il a eu tels parents, grandi dans tel environnement, vécu telle et telle crise, etc.

La façon dont il perçoit l'aidant et interagit avec lui s'explique donc en partie par son vécu antérieur et extérieur à l'entrevue. Mais les réactions de l'aidé sont aussi en partie provoquées par les interventions et le comportement de l'aidant, ici et maintenant dans l'entrevue.

Qu'il soit prêt à l'admettre ou non, l'aidant exerce un impact direct sur son aidé, et ceci, autant par ce qu'il fait que par ce qu'il omet de faire, délibérément ou inconsciemment. Il peut en effet se limiter à quelques interventions de base comme le reflet et la focalisation, ou s'impliquer davantage dans la relation avec son aidé. Le présent chapitre se propose d'explorer la nature de cette implication, de même que son contexte et les limites qu'elle doit respecter.

L'essentiel de la contribution du psychologue américain Carl Rogers (1972) à la compréhension et à la pratique de la relation d'aide tient en une phrase. Pour qu'un aidant soit efficace, trois attitudes de sa part sont nécessaires et suffisantes: il faut (et il suffit) qu'il soit empathique, qu'il soit congruent (ou authentique), et qu'il manifeste de la considération positive à l'endroit de son aidé.

Nous avons déjà parlé de l'empathie, qui consiste à percevoir le vécu de l'aidé à partir de sa sensibilité et de ses points de référence à lui. Quant à l'attitude de congruence, elle existe lorsque l'aidant «a accès aux sentiments qu'il éprouve au moment présent, et qu'il est en mesure de vivre ces sentiments et de les communiquer au besoin» (Barrett-Lennard, 1985, p. 286).

On a vu au Chapitre 1 que l'écoute active était au cœur de la démarche de relation d'aide. S'il veut être authentique toutefois, l'aidant ne doit pas limiter son écoute aux informations qui lui parviennent de son aidé, mais il doit inclure aussi les informations qui originent de son propre organisme, habituellement en réaction à ce que l'aidé est en train de vivre ou d'exprimer.

Ceci ne va pas de soi et peut exiger beaucoup de pratique (c'est pourquoi nous voyons l'authenticité ou la congruence à la fois comme une attitude et comme une habileté). En effet, pour être en mesure de se placer dans sa caisse de résonance empathique, l'aidant doit faire temporairement abstraction de son propre univers personnel (de ses idées et de ses valeurs, de ses émotions et de ses sentiments) pour s'immerger dans l'univers de son aidé.

Pour ce faire, il doit se fermer à tous les stimuli qui cherchent à pénétrer dans cette caisse de résonance, que ce soit des préoccupations personnelles («Il faudrait bien que je passe chez Sears ce soir pendant que les serviettes de bain sont encore en réduction») ou des réactions aux verbalisations de l'aidé («Comment fait-elle pour endurer un mari qui est aussi maniaque de la chasse? Moi, ça ferait longtemps que je lui aurais dit: au moins, arrange-toi pour t'occuper des enfants au moins une fin de semaine sur deux...»).

L'aidant doit donc se couper de toutes ses sources de distraction, mais ceci dit, c'est à une personne humaine que l'aidé s'adresse, et non pas seulement à un technicien du reflet et de la focalisation. Et moyennant certaines conditions, les réactions personnelles de l'aidant peuvent être investies dans la relation pour venir stimuler le processus exploratoire de l'aidé.

Cela signifie qu'à certains moments, l'aidant pourrait communiquer à son aidé des sentiments aussi variés que son ennui, sa surprise, son inconfort ou sa peur par rapport à ce que l'aidé est en train d'exprimer, sa satisfaction ou sa déception par rapport au déroulement de l'entrevue, sa tristesse ou son affection...

LES LIMITES DE NOTRE MODÈLE

Mais le modèle que nous avons présenté plus haut ne permet pas ce genre d'expression. Le modèle prévoit deux types majeurs d'intervention, soit le «retour en plus clair» de ce qui a été exprimé par l'aidé, soit l'«injection» de connaissances en psychologie ou d'autres connaissances professionnelles. Or, les sentiments et réactions de l'aidant ne sont ni un simple reflet du vécu de l'aidé, ni une interprétation psychologique ni une information spécialisée relative à ce vécu.

Et pourtant, la congruence est présentée comme un ingrédient de base de la relation d'aide. C'est d'ailleurs souvent un manque de congruence qui amène les gens en relation d'aide. Il arrive souvent que les gens aient besoin de se faire aider justement parce qu'ils en sont venus à se couper de leur réalité intérieure, avec le temps.

Ces personnes viennent chercher de l'aide parce qu'elles ne savent plus où elles en sont, ou parce qu'elles se sentent incapables de prendre des décisions pourtant urgentes, étant donné qu'elles n'ont pas accès à ce qu'elles ressentent face aux enjeux de ces décisions.

Dans ces circonstances, la seule issue pour ces personnes vivant en état d'incongruence sera d'entrer en contact avec un aidant qui est lui-même congruent. C'est pourquoi différents auteurs estiment qu'un aidé ne pourrait pas vraiment progresser auprès d'un aidant incongruent, qui ne se permettrait pas de vivre et d'exprimer ses propres sentiments pour se retrancher derrière ses techniques.

Par exemple, Sidney Jourard (1971, pp. 140-142) s'exprime comme suit: «On atteint le changement désiré, c'est-à-dire la croissance, lorsque le thérapeute s'avère un individu plutôt libre, fonctionnant comme une personne avec tous ses sentiments et toutes ses fantaisies autant qu'avec son intelligence. J'en arrive à penser que le thérapeute qui s'efforce de demeurer une créature pensante et seulement pensante ne réussit pas à promouvoir la croissance».

La sévérité de ce psychologue américain s'explique par le fait qu'à son avis, «un malade ne peut guider un malade: je ne vois pas comment nous pouvons aider nos patients à retrouver accès à leur vrai moi en nous efforçant pour notre part de leur cacher le nôtre.»

LORSQUE L'AIDANT RÉSISTE

Nous consacrerons le Chapitre 14 au phénomène des résistances de l'aidé. Mais nous pouvons anticiper un peu et regarder brièvement comment ce phénomène peut affecter l'aidant lui-même.

Définissons sommairement la résistance comme la peur de voir et d'exprimer la réalité telle qu'elle est. Il est difficile d'affirmer que l'aidant n'a jamais peur de voir et d'exprimer ses sentiments et ses fantaisies tels qu'ils existent. Il peut par exemple être porté à nier qu'il se sente sexuellement troublé par telle parole ou telle fantaisie de l'aidé, ou menacé par les réflexions de l'aidé sur la mort, ou encore par la dépendance que celui-ci a développée face à lui, etc.

L'aidant peut donc résister à s'avouer à lui-même comment il se sent, et à plus forte raison à communiquer ces sentiments à son aidé, de peur de ne pas être en mesure de faire face aux réactions que cette communication déclencherait chez ce dernier.

Lorsque de telles résistances surviennent chez lui, l'aidant est porté à se justifier en se réfugiant derrière les principes: «un bon aidant demeure objectif», «il faut se centrer sur l'aidé», et derrière les techniques: reflets, silences, etc.

Mais ces stratégies d'évitement ont souvent pour effet d'affecter la relation de confiance entre l'aidant et l'aidé. Ce dernier risque en effet d'enregistrer au moins inconsciemment le fait qu'il se passe quelque chose d'anormal, ou qu'il a dit ou fait des choses tellement inacceptables ou tellement dangereuses que même l'aidant s'avère incapable d'y faire face.

Jourard (1971, p. 148) doute à cet égard que «le maniement expert des techniques puisse cacher longtemps l'immaturité, l'anxiété, l'hostilité ou la sexualité, si celles-ci existent chez le thérapeute». Et qui plus est, si l'aidant réussissait à cacher ainsi son vécu, il s'engagerait alors dans le même type de fonctionnement incongruent que celui qui se trouve à la racine des problèmes de l'aidé!

Enfin, il faut également tenir compte des résistances de l'aidé, à l'endroit de l'implication de son aidant. Peut-être ne tient-il pas vraiment à ce que son aidant s'implique dans l'entrevue, comme si, dans son ambivalence, il voulait limiter les exigences de sa démarche. Dans un tel cas, le fait que l'aidant décide de s'impliquer fera fonction d'un appel à l'aidé à faire de même et à devenir plus transparent lui aussi.

DEUX AJOUTS À NOTRE MODÈLE

Ces développements nous amènent à combler une importante lacune du modèle présenté plus haut, en ajoutant une caisse de résonance personnelle et un réservoir d'expériences passées. (Voir la figure 11.)

L'aidant utilise la caisse de résonance personnelle pour répondre à la question suivante: «Ce que l'aidé est en train de vivre ou d'exprimer, est-ce que cela éveille quelque chose en moi dans l'instant présent?»

La réponse pourra se traduire par des sentiments ou des images qui ont un rapport immédiat avec le vécu de l'aidé. Par exemple, l'aidant pourra dire: «C'est comme si je te sentais ligoté sur la voie ferrée et que j'entendais siffler le train. Est-ce que ça te dit quelque chose?»

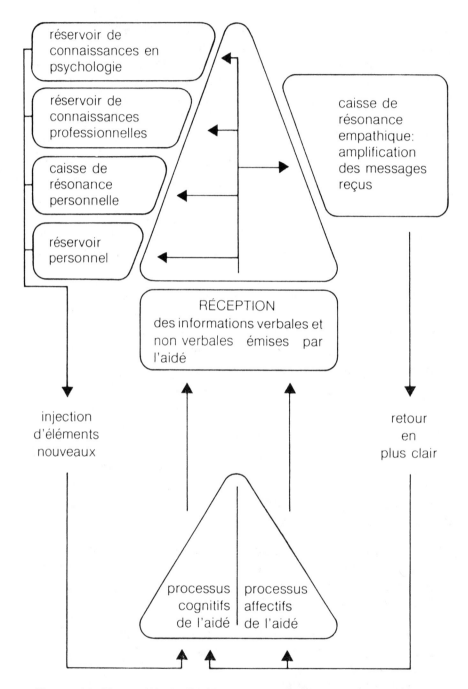

Figure 11: *Un modèle intégré de relation d'aide (version complète)*

Il se peut que dans ses verbalisations, l'aidé n'ait exprimé ni son impuissance ni l'urgence de sa situation (par exemple, s'il se défend contre son anxiété en niant ses problèmes). Dans un tel cas, la fantaisie qui se développe dans la caisse de résonance de son aidant pourra lui permettre d'entrer en contact avec ces sentiments réprimés.

Quant au réservoir personnel, il contient les expériences passées de l'aidant. Il ne s'agit pas de ses expériences comme aidant, car celles-ci sont venues enrichir son savoir professionnel, et à ce titre, elles appartiennent plutôt à son réservoir de connaissances en psychologie. Il s'agit plutôt de ses expériences humaines proprement dites, telles qu'il les a accumulées au fil des ans.

L'aidant va puiser à l'occasion dans ce réservoir en se posant la question suivante: «Ce que l'aidé est en train de vivre ou d'exprimer, cela rejoint-il quelque chose dans mon vécu passé?» Par exemple, l'aidé sent qu'il devrait peut-être s'engager dans une thérapie à plus long terme, mais cette perspective le déprime et l'amène à dire: «Je ne pensais pas que j'étais si malade...»

Sur ce, l'aidant lui dit: «Oh! tu sais, les thérapies ne sont pas réservées aux gens qui sont perturbés. Personnellement, j'en ai suivi une pendant deux ans et ça m'a beaucoup aidé à me comprendre et à me simplifier la vie.» Il ne s'agit pas ici d'un sentiment qui surgirait dans la caisse de résonance personnelle, mais d'une confidence que l'aidant fait en allant puiser dans son réservoir d'expériences passées.

En faisant cette confidence, l'aidant ne cède pas au simple attrait du plaisir, même s'il est toujours plaisant de parler de soi! S'il intervient de la sorte, c'est qu'il estime que cette confidence aura un effet stimulant sur le processus exploratoire de son aidé. En l'occurrence, il prévoit que cette intervention aura un effet de support sur son aidé, celui-ci se voyant amené à dédramatiser la perspective de s'engager dans une thérapie en voyant celle-ci moins comme «un traitement pour gens malades» que comme une occasion de croissance pour gens normaux.

LES EFFETS DE L'IMPLICATION

En nous inspirant partiellement de Jourard (1971, pp. 148-157), nous présentons maintenant quelques effets possibles sur l'aidé de l'implication de l'aidant.

1. En se dégageant du caractère formel de ses techniques, l'aidant devient davantage imprévisible, et par conséquent moins facile à manipuler par un aidé résistant. Il devient alors impossible de limiter la relation d'aide à un rituel où l'aidant se limite à des reflets et des focalisations face à ce qui est exprimé par l'aidé.

2. On pourrait redouter qu'une telle implication de l'aidant ait pour effet de le rendre davantage menaçant pour l'aidé, mais Jourard pense que c'est au contraire l'inverse qui se produit. Un aidant qui prend l'initiative de s'impliquer personnellement se présente ainsi comme un humain face à un autre humain, ce qui a pour effet de le rapprocher de son aidé et d'augmenter la confiance de ce dernier à son endroit.

3. En exprimant avec délicatesse et simplicité sa réalité du moment, l'aidant fournit à l'aidé une illustration de ce que peut être un fonctionnement congruent. Dans une démarche un peu suivie, on peut penser que le phénomène d'identification joue de toute façon. Dans ces circonstances, il est préférable de s'identifier à une personne authentique qu'à un spécialiste du reflet ou de la focalisation!

4. L'implication de l'aidant peut aussi entraîner un changement de la perception de l'aidé par lui-même. Ce changement pourrait provenir de la réflexion suivante: «Si une personne aussi importante que l'aidant prend la peine de me révéler des choses aussi significatives sur lui-même, c'est peut-être parce que j'en vaux la peine.»

Cette modification de l'image de soi peut survenir lorsque l'aidé décode comme suit le comportement de l'aidant: «Je te respecte assez, tu comptes assez pour moi pour que je tienne à être tout à fait moi-même avec toi.»

L'EXEMPLE D'UN AIDANT QUI S'IMPLIQUE

Jourard va jusqu'à concevoir l'aidant comme un «guide existentiel» qui a pris au sérieux le défi de sa croissance, et qui continue d'avancer en communiquant à son aidé certaines de ses découvertes et de ses prises de conscience.

Pour ce faire, le psychologue affirme recourir aux deux ajouts que nous avons faits au modèle: «Je n'hésite pas à partager n'importe laquelle de mes expériences de blocage existentiel qui se rapprocherait de ce que l'aidé est lui-même en train de vivre», ce qui équivaut à puiser dans ce que nous avons appelé le réservoir personnel.

Et il ajoute: «Je n'hésite pas non plus à partager mon expérience de l'aidé, de moi-même, de notre relation, à mesure que cette expérience se déroule d'un moment à l'autre», ce qui rejoint notre caisse de résonance personnelle. (Le fait qu'un meilleur contact avec ses sentiments favorise une plus grande implication de la part de l'aidant semble confirmé par certaines recherches. Voir par exemple Robbins et Jolkovski, 1987, pp. 276-282).

Cet élargissement du rôle de l'aidant ne se fait toutefois pas au détriment de la qualité de la relation d'aide. Jourard précise que la spontanéité qu'il manifeste maintenant ne remplace pas une formation systématique à la relation d'aide, mais qu'elle la présuppose au contraire.

La règle de la non-implication est en effet loin d'être dépourvue de sagesse, et il faut en avoir saisi le bien-fondé avant d'entreprendre de s'en éloigner à l'occasion. Une réflexion de Marian Kinget, une collaboratrice de Carl Rogers (Kinget, Rogers, 1965, pp. 24-25), nous permettra de camper cette polarité réserve-implication. Présentant l'approche «centrée sur le client», celle-ci formule les deux propositions suivantes:

1. Plus l'aidé se considère dépourvu de compétence et de valeur, plus il est porté à être dépendant face à l'aidant.

2. Plus l'aidé est désemparé, plus il est influençable par l'aidant.

Ces propositions nous semblent vraies, à la condition toutefois que l'on affirme ensuite la réciproque:

1a Moins l'aidé se considère dépourvu de compétence et de valeur, moins il est porté à être dépendant de l'aidant.

2a Moins l'aidé est désemparé, moins il est influençable par l'aidant.

Dans ces perspectives, un aidé qui est relativement autonome et qui manifeste un assez bon contact avec ses ressources personnelles diffère sensiblement d'un aidé dépendant et désemparé. Pour ce dernier, Kinget a raison de redouter que plus l'implication de l'aidant sera forte, «moins l'aidé s'exercera à la pratique du jugement autonome, de l'initiative personnelle et du développement de critères ancrés dans son expérience à lui».

Mais pour un aidé plus autonome et plus critique, il faut inverser l'affirmation de Kinget et dire que c'est justement l'implication de l'aidant qui le stimulera dans l'exploration et la prise en charge de sa réalité propre.

LA SURIMPLICATION ÉMOTIVE

Si l'aidant peut omettre de s'impliquer suffisamment, il peut aussi s'impliquer exagérément, comme s'il perdait le sens des frontières entre son vécu personnel et celui de son aidé.

Ce débordement des frontières survient lorsque l'aidant prend sur lui-même le problème qui lui est soumis (il est alors envahi par son aidé), ou lorsque l'aidant veut modifier la vie de son aidé en dépit de ce que ce dernier pense, croit ou sent (c'est alors lui qui devient envahissant).

Lorsque l'aidant se trouve envahi par le problème de son aidé, il risque habituellement de s'engager dans des supports inopportuns, comme s'il voulait diminuer un peu magiquement l'ampleur des problèmes de son aidé. Dans le deuxième cas, lorsque l'aidant envahit son aidé, il y a habituellement évaluation-contrôle, l'aidant ne reconnaissant pas suffisamment l'existence autonome de son aidé.

Cette surimplication ou ce débordement des frontières entre le vécu de l'aidant et celui de l'aidé peut s'expliquer de différentes façons. Nous en évoquerons quelques-unes dans les paragraphes qui suivent.

DIFFICULTÉ À ACCEPTER SES LIMITES PERSONNELLES

Le fait que nous ne soyons pas tout-puissants représente une atteinte à notre image de soi, au sentiment de notre valeur personnelle. Il y a un sauveur qui dort en chacun de nous et qui voudrait bien être en mesure d'intervenir à point nommé dans l'existence des autres pour les tirer de leur pétrin, guérir leurs blessures, et apaiser leurs peurs, leur colère, leur tristesse ou leur culpabilité.

Dans le rôle d'aidant, la dynamique du sauveur se traduit par un besoin plus ou moins conscient d'être plus habile et efficace, plus sensible et plus empathique, plus disponible et plus chaleureux.

L'aidant qui s'est réconcilié avec ses limites personnelles a exorcisé ce désir de toute-puissance, pour se dire: je suis un humain et je ne suis que ça, je suis un aidant qui peut, parfois et dans une certaine mesure, faciliter la route de mes aidés, et je ne suis que ça.

DIFFICULTÉ À ASSUMER SA PROPRE SOUFFRANCE

Chacun doit porter un jour ou l'autre une certaine quantité de souffrance affective et morale. Lorsqu'on a suffisamment progressé dans l'apprivoisement de sa propre souffrance, on cesse de trouver dramatique ou injuste le fait que les autres doivent souffrir eux aussi. On est moins porté alors à intervenir à contretemps pour tenter de les soustraire à leur réalité personnelle.

DIFFICULTÉ À ACCEPTER SA SOLITUDE

Même au sein des relations les plus gratifiantes, nous sommes fondamentalement seuls au monde. Personne ne peut prendre indéfiniment la responsabilité de notre vie, et nous ne pouvons pas, en retour, prendre indéfiniment la responsabilité de la vie des autres. Au-delà du bon vouloir de nos proches, nous sommes ultimement les seuls responsables de notre vie, et au-delà de notre bon vouloir, les autres sont ultimement responsables de la leur.

L'aidant qui a suffisamment progressé dans la prise de conscience de cette réalité existentielle, devient davantage capable de laisser son aidé être différent de lui sans sentir qu'il se trahit lui-même en «tolérant» des choix qu'il n'approuve pas.

INTERFÉRENCE DES AFFAIRES NON FINIES

Le débordement des frontières peut aussi découler de conflits non résolus ou de blessures non guéries avec les proches, parents, conjoint, enfants ou amis. Par exemple, lorsque l'aidé aborde la question d'une relation extra-conjugale, l'aidant réagit inconsciemment avec la souffrance que son propre conjoint lui a causée, ou avec la culpabilité qu'il a lui-même éprouvée dans une situation analogue. Ou encore, lorsque l'aidé aborde le manque d'affection dont il souffre de la part de ses parents, l'aidant réagit inconsciemment avec la nostalgie de l'affection qui lui a manqué à lui aussi.

Nous venons d'évoquer le fameux concept psychanalytique de contre-transfert, qui signifie la réactivation des problèmes personnels de l'aidant au contact de la personne de l'aidé et de ses problèmes. Le contre-transfert est un phénomène paradoxal, parce qu'il tend à amener l'aidant à la fois à se surimpliquer dans la relation et à se désengager de la relation, c'est-à-dire à devenir défensif par rapport à ce que l'aidé lui fait vivre, et donc peu porté à clarifier ce vécu avec lui.

DIFFICULTÉ À DIRE NON

Enfin, l'aidant peut avoir de la difficulté à refuser délicatement mais fermement les demandes de son aidé qu'il estime en dehors de son rôle. Ces demandes peuvent prendre des formes variées. L'aidé peut téléphoner fréquemment à son aidant, lui demander des services comme de lui emprunter de l'argent, lui proposer des sorties, lui demander d'intervenir pour lui auprès de différentes personnes, désirer prolonger les entrevues ou en augmenter la fréquence...

Un aidant porté à se surimpliquer peut communiquer à son insu le message à l'effet qu'il est correct pour l'aidé de faire de telles demandes. À l'inverse, un aidant qui a une image plus claire de son rôle aura plus de chances de communiquer dès le début de son intervention ce qu'il est prêt à offrir à l'aidé, et de s'y tenir par la suite.

CONSÉQUENCES POSSIBLES DE LA SURIMPLICATION ÉMOTIVE

Une trop forte implication émotive de la part de l'aidant peut entraîner différentes conséquences indésirables, que ce soit pour l'aidant lui-même, pour l'aidé ou pour les proches de ce dernier. Cette surimplication, en effet,

1. peut amener l'aidant à dépasser les limites de son rôle, qui est celui d'un support passager, d'une ressource d'appoint, d'un facilitateur, plutôt que celui d'un partenaire stable dans le donner et le recevoir, comme entre parents et enfants ou entre mari et femme;

2. peut amener l'aidant à dépasser les limites de temps et de lieu qui doivent encadrer la relation d'aide; ces limites ne sont pas des absolus, mais elles sont importantes dans la mesure où elles opèrent une distinction entre ce qui appartient à l'aidant et ce qui appartient à l'aidé;

3. peut provoquer un détournement d'énergie, c'est-à-dire faire en sorte que l'énergie que l'aidant investit d'une façon excessive dans cette relation ne soit plus disponible, soit pour ses proches, soit pour les autres personnes auprès de qui il intervient;

4. peut amener l'aidant à entrer en compétition avec les partenaires stables de l'aidé: conjoint, parents, enfants; pour ne pas être déclassés aux yeux de l'aidé, ceux-ci seront amenés à rivaliser de support avec l'aidant;

5. peut risquer alors d'amplifier le sentiment d'impuissance et de culpabilité des proches, qui ne réussissent pas à être aussi présents, efficaces ou appréciés que l'aidant;

6. peut mettre l'aidé en position d'avoir à choisir entre son lien avec l'aidant et sa relation avec ses proches, surtout si ceux-ci manifestent une hostilité voilée à l'endroit de l'aidant; cette dynamique entraîne souvent chez l'aidé la peur de perdre sur les deux terrains;

7. peut faire peser un poids additionnel sur l'aidé, qui a besoin que la relation continue et pourrait même souhaiter inconsciemment qu'elle s'amplifie, mais qui doit par ailleurs s'ajuster émotivement à cette relation étroite et doser les demandes qu'il pourrait être porté à faire face à une personne aussi complaisante.

INDICES D'UNE SURIMPLICATION ÉMOTIVE

Le phénomène du débordement des frontières survient subtilement, mais il peut être détecté à l'aide de plusieurs indices. Nous en présentons une douzaine dans les lignes qui suivent.

1. Être inhabituellement habité entre les entrevues par ce que l'aidé aborde en entrevue. Par exemple, se sentir inhabituellement triste ou préoccupé de ce qui lui arrive.

2. Rêver fréquemment à l'aidé.

3. Lui donner à plusieurs reprises un support et un encouragement qu'on ne donne pas aux autres aidés.

4. Lui offrir une disponibilité qu'on n'offre pas aux autres.

5. Partager à plusieurs reprises avec lui des éléments de son vécu personnel qu'on ne partage pas avec les autres aidés.

6. Être inhabituellement habité entre les entrevues par les paroles d'appréciation ou par les reproches ou comparaisons plus ou moins subtils de son aidé.

7. Penser plus souvent que d'habitude au fait que l'accompagnement va se terminer un jour, et avoir le goût de tenter de le prolonger.

8. Se sentir inhabituellement évaluatif à l'endroit des personnes qui sont en conflit avec l'aidé.

9. Lui conseiller de se sortir rapidement d'une situation pénible pour lui: rupture, divorce, démission, etc.;

10. Intervenir à plusieurs reprises pour lui en dehors des entrevues: appels téléphoniques, démarches, services divers...

11. Être inhabituellement tolérant des dérangements que l'aidé provoque ou sollicite: changements d'horaire, prolongement des entrevues, déplacement des fauteuils...

12 Se sentir critique à l'endroit des autres personnes qui donnent à l'aidé support ou assistance.

L'IMPLICATION SEXUELLE

Quelques mots en terminant pour préciser qu'en matière d'implication de l'aidant, le principe de la priorité des besoins de l'aidé s'applique aussi au niveau de la sexualité. (Étant donné les fortes tendances des statistiques dans ce domaine, nous utiliserons le féminin pour le rôle de l'aidé, et le terme aidant se reportera plus spécifiquement ici aux intervenants de sexe masculin.)

Dans la dernière phase de la relation d'aide, il y a souvent davantage d'égalité et de réciprocité entre l'aidée et son aidant, ce qui favorise une plus grande implication de la part de ce dernier. Et par ailleurs, différents secteurs de la société tendent à reconnaître le droit à l'activité sexuelle aux adultes consentants. Mais il n'est pas évident que l'on puisse se prévaloir de ce droit dans le contexte de la relation d'aide.

Beaucoup de personnes, en effet, se présentent en entrevue non pas à cause d'un problème précis qu'elles veulent comprendre et solutionner, mais parce qu'elles souffrent de solitude et sont en état de manque au plan de l'affection et de l'intimité. D'autres aidées traversent par ailleurs des crises d'identité qui les rendent passablement confuses face à ce qui leur convient et ce qu'elles ont vraiment le goût de vivre.

Ces aidées sont donc davantage susceptibles qu'en temps normal de s'engager dans une relation d'intimité sexuelle qui ne leur conviendrait pas nécessairement mais dont leur aidant prendrait l'initiative pour répondre à ses propres besoins.

Celui-ci se trouve dans une position de pouvoir, qu'il en soit conscient ou non. Il représente la stabilité émotive et la sécurité, il est celui qui accueille et qui comprend, il est celui qui sait dispenser au bon moment support, chaleur et encouragement.

Cette situation est de nature à engendrer des fantaisies sexuelles, soit de la part de l'aidée à l'endroit de son aidant, soit inversement de la part de l'aidant à l'endroit de son aidée.

Et de fait, dans une étude menée en 1977 par Holroyd et Brodsky auprès de 500 thérapeutes masculins et 500 thérapeutes féminins, 5,5% des hommes et 0,6% des femmes (soit neuf fois plus d'hommes que de femmes) ont rapporté avoir eu des relations sexuelles avec leurs aidées ou aidés (cités par Lecompte et Gendreau, 1984, p. 4).

Il est facile de voir que dans une telle relation les dés sont pipés, parce qu'au lieu de deux adultes en position de négocier d'égal à égal leur relation, on a d'une part un aidant habile et en position de force, et d'autre part une aidée souvent relativement vulnérable et ceci, même dans la dernière phase de la relation d'aide.

Dans une telle situation, il est rare que le besoin dominant de l'aidée soit de vivre une expérience sans lendemain et de découvrir par la suite qu'on a profité de sa vulnérabilité. C'est ainsi que selon une autre étude américaine menée en 1975 par Butler, 95% des thérapeutes impliqués estimaient que ces expériences n'avaient pas été profitables à leur aidée, et les avaient par conséquent vécues dans la culpabilité et la peur (cité par Lapierre et Valiquette, 1984, p. 5).

En cette matière, l'aidant se retrouve ainsi face à trois défis. D'abord, il doit demeurer en contact avec ses propres besoins et fantaisies dans sa façon de vivre sa relation avec son aidée. Ensuite, il doit apprécier le besoin affectif immédiat de son aidée et le sien dans le contexte de l'ensemble de la vie de son aidée et de la sienne propre. Enfin, et à plus long terme, il doit aménager son existence personnelle de manière à ce que ses besoins d'intimité affective et sexuelle soient comblés d'une façon satisfaisante et régulière ailleurs et autrement que dans son travail d'aidant (voir Justes, 1985, pp. 279-299, et Lapierre et Valiquette, 1989).

Les aidants qui se verraient aux prises avec des difficultés au plan de l'implication sexuelle ne devraient pas hésiter à solliciter une supervision sur cette question.

EN GUISE DE CONCLUSION

Nous conclurons ce chapitre en parlant de l'équilibre à maintenir entre l'absence d'implication et la surimplication. Cet équilibre n'est pas un point fixe, mais on peut le concevoir comme une mobilité sur la polarité présence-détachement.

Un bon aidant est pleinement présent à son aidé tout au long de l'entrevue et il se montre capable d'authenticité à son endroit. Mais comme le dit Corey (1986, p. 379), cet aidant est également capable de laisser aller son aidé quand l'entrevue est terminée. Pour cela, il lui faut croire que les aidés ont des ressources et qu'ils sont les seuls à détenir la responsabilité ultime de leurs décisions et de leurs actes.

CHAPITRE 12

L'interprétation

Le reflet se limite à nommer ce que l'aidé a exprimé plus ou moins clairement. L'interprétation, pour sa part, propose une signification possible de ce qui a été exprimé. Interpréter, c'est ainsi chercher à comprendre et à faire comprendre un sentiment ou un comportement.

Face à un aidé qui pleure, l'aidant peut dire: «Ça te fait mal de penser à cela», auquel cas il fait un reflet. Mais il peut dire aussi: «Je pense que tu pleures pour ne pas te mettre en colère», auquel cas il fait une interprétation.

En fait, une personne qui est contrariée et qui dit: «Je ne sais pas pourquoi je pleure», ne vit sûrement pas de la tristesse. Il ne serait donc pas approprié de lui refléter une tristesse qu'elle n'éprouve pas. Mieux vaudrait alors faire une focalisation et lui demander: «Comment te sens-tu présentement?»

Cette intervention pourrait avoir pour effet de mettre le sujet en contact avec sa frustration. Mais il pourrait aussi répondre: «Je ne sais pas», et le silence qui s'ensuivrait pourrait s'avérer embarrassant et non productif.

C'est à ce moment que certains aidants choisiront de recourir à l'interprétation formulée plus haut: «Je pense que tu pleures pour éviter de te mettre en colère», ou mieux: «Est-ce que ça se pourrait que tu pleures pour éviter de te mettre en colère?»

Tout comme le reflet, mais avec une plus grande marge d'erreur, l'interprétation est en effet une hypothèse que l'aidant formule, et il est toujours plus prudent de la présenter sous un mode interrogatif.

INTERPRÉTATION ET DIAGNOSTIC

L'interprétation ressemble au diagnostic, mais elle s'en distingue aussi. Diagnostic et interprétation sont tous deux des hypothèses qui naissent dans la tête de l'aidant, suite à son écoute de l'aidé. Mais le diagnostic se présente comme englobant, alors que l'interprétation se limite à un aspect du vécu de l'aidé.

Ensuite, le diagnostic est normalement conçu pour usage interne, c'est-à-dire pour les besoins de l'aidant, tandis que l'interprétation est une intervention par laquelle l'aidant communique à son aidé ce qu'il pense avoir compris sur le fonctionnement de ce dernier.

Ceci ne veut cependant pas dire que l'aidant doit se sentir obligé de communiquer au fur et à mesure à son aidé toutes les interprétations qui lui viennent à l'esprit. Par exemple, l'aidant peut bien se dire: «L'automobile que mon aidé vient de donner à sa fille de seize ans, c'est l'automobile qu'il désirait lui-même et qu'on lui a refusée quand il avait son âge», ou: «Je pense qu'il lui a donné cette automobile parce qu'il se sent coupable de ne jamais être à la maison», ou encore: «Il lui a donné cette auto parce que le voisin avec lequel il se sent en compétition vient lui-même d'en donner une à son garçon.»

Avant de faire une interprétation, comme avant de faire quelque intervention que ce soit d'ailleurs, l'aidant doit se demander: Ce que je me propose de dire est-il de nature à stimuler le processus exploratoire de mon aidé? Serai-je plus utile en intervenant ou en respectant le silence, en reflétant ou en focalisant, en interprétant ou en confrontant, etc.

L'INTERPRÉTATION COMME REFLET EN PROFONDEUR

Nous avons présenté jusqu'ici l'interprétation comme émanant des connaissances et de l'expérience de l'aidant. Et notre modèle peut de fait donner l'impression que l'aidant n'a qu'à puiser ses interprétations dans son réservoir de connaissances (en psychologie ou autres), pour les injecter dans le système de son aidé.

Cette représentation est partiellement exacte. Prenons l'exemple suivant, où une adolescente s'exprime sur sa relation difficile avec sa mère.

Aidée: Des fois, elle a essayé de me caler. Elle ne devrait pas faire ça, pour une mère...

Aidante: Tu lui en veux? (Reflet de la révolte)

Aidée: Non, je l'aime bien... (Résistance à prendre contact avec sa révolte)

Aidante: Tu te dis qu'une mère n'a pas le droit de caler sa fille, mais en même temps, tu dis que tu l'aimes... (Reflet de l'ambivalence)

Aidée: (silence) (Autre résistance)

Aidante: Tu sais, ça nous arrive souvent d'aimer une personne pour vrai et de lui en vouloir en même temps pour les choses qu'elle nous a faites. On appelle ça être ambivalent. (Interprétation de la résistance)

Cette intervention introduit un concept nouveau et évoque un phénomène précis que l'aidant a puisé dans son réservoir de connaissances en psychologie, soit le phénomène de l'ambivalence. Cette interprétation pourra faciliter à l'aidée la compréhension de son vécu actuel, soit son ambivalence et sa résistance. Cette interprétation pourra aussi contribuer à déculpabiliser l'aidée, en dédramatisant ses sentiments et en lui permettant de se donner le droit de ressentir et d'exprimer sa

colère: «J'ai des reproches à faire à ma mère, mais je continue à l'aimer quand même».

L'interprétation provient donc du réservoir de connaissances en psychologie. Mais il serait tout aussi exact de concevoir l'interprétation comme une percée dans l'univers de l'aidée qui serait un peu plus pénétrante que le reflet.

L'étymologie peut nous aider à discerner cette parenté étroite de l'interprétation et du reflet. Au verbe *interpréter*, le dictionnaire latin dit entre autres: *éclaircir, traduire, comprendre, chercher à démêler*.

Il en va de même dans l'approche freudienne, où *interpréter* signifie: «amener à la surface la signification latente de ce que le sujet dit ou fait» (Laplanche et Pontalis, 1973, p. 227).Dès lors, l'aidant ne ferait pas des choses très différentes lorsqu'il tenterait de refléter le vécu de l'aidé et lorsqu'il entreprendrait d'éclaircir, de démêler, de comprendre et de traduire ce vécu.

On pourrait objecter qu'un reflet constitue un retour direct, alors que l'interprétation ne sera toujours qu'une hypothèse. Mais cette distinction n'est pas si étanche qu'elle en a l'air. Il y a des interprétations qui possèdent un très haut degré de probabilité. Inversement, tout reflet demeure une hypothèse. L'aidant qui fait un reflet déduit toujours un sentiment ou un contenu cognitif à partir des indices verbaux et non verbaux qu'il a cru percevoir et qu'il a décodés chez son aidé.

L'expérience confirme d'ailleurs que plusieurs reflets sont inexacts. Par exemple, quelqu'un voit son interlocuteur essuyer une larme au coin de son œil et lui reflète: «Ça te rend triste de parler de ça», et ce dernier lui répond: «Non, je viens de bâiller et j'ai toujours une larme quand je bâille...»

Quoiqu'à des degrés divers, reflet et interprétation revêtent donc tous deux un caractère hypothétique. Et l'on pourrait ajouter qu'ils représentent tous deux une tentative de la part de l'aidant de comprendre et de faire comprendre ce que l'aidé est en train de vivre et d'exprimer.

LE POUR ET LE CONTRE

L'interprétation ne fait pas l'unanimité chez les théoriciens de la relation d'aide. Alors que certains en font un instrument privilégié, d'autres la rangent carrément dans la catégorie des interventions indésirables. C'est le cas de Mucchielli (1967, p. 32), pour qui l'interprétation a pour effet de freiner l'expression spontanée de l'aidé et de retarder du même coup la compréhension de son vécu en l'amenant à adopter les points de vue de l'aidant.

Cet auteur se montre dur face à l'interprétation, qui survient selon lui lorsque l'aidant «ne comprend que ce qu'il veut comprendre», et «cherche une explication (...) à ce qui lui paraît essentiel à lui» (Mucchielli, 1967, p. 23). Dans tous les cas, l'aidant projetterait sur les problèmes de l'aidé sa propre théorie, ce qui entraînerait «nécessairement une distorsion» dans la démarche d'expression de l'aidé, et ne pourrait susciter chez ce dernier que «désintérêt, irritation et blocage» (Mucchielli, 1967, pp. 33-34).

Mais déjà en 1942, alors qu'il publiait la première conceptualisation de ce qui allait devenir plus tard l'approche centrée sur le client, Carl Rogers (1970 pour l'édition française, p. 39) se montrait plus nuancé face à la question. Les paragraphes qui suivent retracent l'essentiel de sa pensée à ce propos.

1. Si l'aidant réussit à créer un climat d'acceptation, l'aidé cheminera à son propre rythme vers ses prises de conscience, et effectuera la plupart de celles-ci spontanément, et donc sans intervention directe de la part de l'aidant.

2. Si ce cheminement n'a pas le temps de s'effectuer ou s'il se trouve entravé par des obstacles affectifs quelconques, l'interprétation ne sera d'aucun secours. Il est donc erroné de croire que «tout ce qu'il faut faire pour aider le sujet, c'est de lui expliquer les causes de son comportement».

3. «L'interprétation n'a de valeur que dans la mesure où elle est acceptée et assimilée par le client.» Compte tenu des nuances qui précèdent, il demeure donc vrai qu'«une utilisation prudente et intelligente de techniques interprétatives puisse accroître l'étendue et la clarté de la compréhension de soi» (Rogers, 1970, pp. 41 et 216).

4. Enfin, l'enjeu important pour l'interprétation n'est pas sa validité, qui est toujours présupposée, mais son à-propos, c'est-à-dire le fait qu'elle ne soit pas prématurée, qu'elle ne soit pas présentée à un moment où l'aidé n'est pas encore prêt à l'accepter.

Rogers (1970, p. 206) est catégorique à ce propos: «On ne gagne rien à discuter une interprétation. Si une interprétation n'est pas acceptée, la non-acceptation est un fait important. L'interprétation doit être abandonnée» et ce, même si l'aidant est absolument sûr qu'elle est tout à fait exacte.

Dans la logique de notre modèle, on pourrait traduire ainsi: Tout de suite après avoir injecté (à gauche), l'aidant se déplace vers la droite pour aller vérifier l'impact de cette injection sur le champ perceptuel de l'aidé (via le décodage empathique). S'il constate que son aidé réagit en rejetant hors de son champ cette interprétation qui lui apparaît comme un corps étranger, l'aidant ne gagnerait rien à tenter de l'y ramener de force.

Au fil des ans, Carl Rogers est devenu plus critique face à l'interprétation, qui risque selon lui d'entretenir la dépendance de l'aidé à l'endroit de l'aidant. Il écrira par exemple (Rogers et Sanford, 1985, p. 1379) que l'aidé peut «apprendre» à partir d'une «prise de conscience» déclenchée par une interprétation et «profiter» de cette prise de conscience. Mais cet aidé sera porté à donner le crédit de cette prise de conscience à son aidant, qu'il percevra comme brillant. Rogers estime que ceci aura alors pour effet de rendre l'aidé «un peu plus dépendant à l'endroit de son aidant».

Rogers ne conteste donc pas l'efficacité comme telle de l'interprétation, lorsqu'elle est «exacte, appropriée et faite au bon moment». Mais il redoute ses retombées à long terme sur l'image de soi du client, craignant que l'aidé en vienne à se percevoir comme dépendant d'autrui pour se comprendre lui-même.

Rogers se permet de faire des reflets en profondeur qui «s'apparentent de très près à des interprétations». Mais parce qu'il prend soin de se mettre au rythme de son aidé, celui-ci fera ses prises de conscience quand il sera prêt, «peut-être un peu plus tard», et deviendra de ce fait «un peu plus indépendant et un peu plus conscient de son pouvoir personnel».

Les craintes de Rogers semblent justifiées dans le cas d'un aidant dont l'interprétation serait l'outil majeur, sinon exclusif. Mais pour un aidant qui manierait d'une façon efficace le reflet et la focalisation, l'interprétation nous paraît un précieux outil d'appoint.

Certains aidés y gagnent en effet à être stimulés à l'occasion dans leur exploration par des interprétations qui viendront catalyser des prises de conscience qui, autrement, n'auraient peut-être été faites que des mois ou des années plus tard, ou qui n'auraient peut-être jamais été faites. Et ceci est d'autant plus vrai dans les cas de relation d'aide semi-formelle où, à la différence de la situation formelle de la thérapie, on ne peut pas compter sur des entrevues hebdomadaires qui s'échelonneront sur de longs mois, voire sur une année ou deux.

L'INTERPRÉTATION ET LA FOCALISATION

Il est vrai que l'aidant qui privilégierait l'interprétation au point d'en faire son mode d'intervention presque exclusif risquerait de placer son aidé dans un rôle passif et de lui enlever l'initiative de ses prises de conscience.

Cet aidant risquerait également de susciter des résistances fréquentes de la part de son aidé, à cause du caractère menaçant de l'interprétation. Pour cet aidé, il est toujours intimidant, en effet, de se sentir à la merci de la personne qui l'observe et qui découvre avant lui les causes profondes de ses difficultés et de ses problèmes.

C'est pourquoi l'aidant a souvent avantage à remplacer l'interprétation par une focalisation, qui peut donner les mêmes résultats sans les inconvénients. Comme on l'a vu plus haut, focaliser, c'est inviter l'aidé à diriger son attention sur un point précis de son champ de conscience.

Voici un exemple d'interprétation: «Se pourrait-il que vous n'aimiez pas voir votre photo de mariage sur le mur à cause de l'agressivité que vous éprouvez ces temps-ci face à votre conjoint?» Et voici comment une focalisation pourrait remplacer cette interprétation: «Vous dites que vous n'aimez pas voir votre photo de mariage sur le mur, ces temps-ci. Vous êtes-vous demandé pourquoi?»

Voici un autre exemple d'interprétation: «Je pense que ça vous agace que votre femme parle de travailler à l'extérieur parce que vous vous sentiriez diminué dans votre rôle de soutien de famille. Qu'en pensez-vous?» Dans ce dernier cas, on pourrait focaliser comme suit: «Vous dites que ça vous agace que votre femme parle de travailler à l'extérieur. Pouvez-vous essayer de voir ce qui vous agace là-dedans?»

Dans ces deux exemples, l'aidé se trouve dans la deuxième phase de son exploration, c'est-à-dire à l'étape de la compréhension.

À cette étape, il cherche non plus à exprimer comment il se sent, ce qui a été fait à l'étape précédente, mais à comprendre pourquoi il se sent de cette façon. Et à cette étape, l'aidant sera plus efficace s'il peut intervenir autrement que par des reflets.

CHAPITRE 13

La confrontation

Certains aidants utilisent une approche douce dans leur travail. Ils accompagnent l'aidé sans le précéder, se contentant de refléter délicatement ce que celui-ci exprime à son rythme.

À la différence de cette approche d'inspiration rogérienne, d'autres aidants se montrent plus actifs, prenant l'initiative de soulever les masques portés par l'aidé, ou de contester les raisons que celui-ci se donne pour se justifier. On retrouve dans ce deuxième groupe plusieurs représentants de la gestalt, de même que les aidants de l'approche émotivo-rationnelle. Les aidants du premier groupe se centrent sur le *déjà là*, sur ce qui est déjà en voie d'être exprimé et conscientisé. Quant aux aidants du second groupe, ils se centrent plutôt sur le *pas encore*, sur les prises de conscience qui n'ont pas encore été faites, de même que sur les ressources que l'aidé possède mais qu'il néglige de mobiliser.

Les aidants de ces deux groupes conviennent du fait que l'aidé a besoin d'un climat de sécurité et de confiance pour s'engager et progresser dans sa démarche d'exploration. Et les aidants de ces deux groupes s'entendent aussi sur le fait que leur rôle est de stimuler cette démarche exploratoire de leur aidé.

Les tenants de l'approche rogérienne estiment toutefois que leur présence attentive et leurs reflets procurent à l'aidé toute la stimulation dont celui-ci a besoin. À la différence de ces derniers, les tenants d'une approche plus active sont d'avis que cette stimulation assurée par l'aidant doit parfois prendre la forme d'interventions déséquilibrantes à l'endroit de l'aidé.

Il est parfois possible et nécessaire, selon eux, de mettre l'aidé en déséquilibre, sans pour autant compromettre le climat de confiance et de sécurité dont celui-ci a besoin pour progresser dans sa démarche. Ce sont ces interventions déséquilibrantes que nous appelons des confrontations, et que nous allons examiner dans le présent chapitre.

LA CONFRONTATION ET SES SOURCES

Confronter, c'est donc mettre l'aidé en déséquilibre, ou d'une façon plus précise, l'inviter directement à se remettre en question dans sa perception de lui-même ou de son entourage. Les psychologues Carkhuff et Berenson (1967, p. 172) font bien ressortir les perspectives dans lesquelles cette intervention est faite, lorsqu'ils définissent la confrontation comme «un défi lancé à l'aidé pour qu'il mobilise ses ressources et fasse un pas de plus en direction d'une reconnaissance plus profonde de ce qu'il est, ou qu'il entreprenne de son propre chef une action plus constructive».

Cette approche nous ramène à la logique de base de notre modèle. La distinction que nous faisions tantôt entre la centration sur le *déjà là* (par le reflet) et la centration sur le *pas encore* (par la confrontation) nous ramène en effet aux deux côtés du modèle.

On se souvient que la partie droite du modèle contient les interventions visant à amplifier ce qui se trouve déjà dans le champ de conscience de l'aidé, tandis que la partie gauche contient les interventions visant à injecter dans ce champ des éléments qui ne s'y trouvent pas encore.

C'est ainsi que les quatre éléments que l'on trouve dans la partie gauche du modèle peuvent donner lieu à différentes formes de confrontation.

L'aidant peut puiser dans son réservoir de connaissances en psychologie ou dans son réservoir de connaissances professionnelles des interprétations ou simplement des informations déséquilibrantes pour l'aidé.

Pensons à un aidé qui rejetterait l'homosexualité de son fils comme étant une déchéance, et à qui l'aidant dirait (après avoir dûment reflété ses différents sentiments, bien sûr): «Vous savez, dans l'état actuel des connaissances, on n'est pas parvenu à associer l'homosexualité à aucun désordre précis de la personnalité.»

La caisse de résonance personnelle peut servir elle aussi à confronter l'aidé à des réalités dont il n'est pas conscient et qui, pour cette raison, pourront le mettre en déséquilibre et provoquer chez lui des prises de conscience.

Pensons à un aidant qui communiquerait à son aidé le sentiment suivant: «Tu me dis que c'est un bon débarras que ta blonde soit partie, mais moi je trouve ça difficile que tu me racontes ça. Est-ce que, en quelque part, ça n'est pas un peu difficile pour toi aussi?»

Le même impact pourra se produire si l'aidant puise dans son réservoir personnel des expériences qui sont de nature à inviter l'aidé à se remettre en question. «Tu me dis que le deuil de ton père est pas mal fini. C'est bien possible, mais en même temps, je ne peux pas m'empêcher de penser que mon père est décédé dans des circonstances semblables au tien, et huit ans plus tard, il y avait encore des choses qui remontaient en moi. Est-ce que ça se pourrait que ce soit la même chose pour toi?»

CONFRONTATION ET ACCEPTATION

La confrontation vise à provoquer des prises de conscience et par voie de conséquence, des changements de comportement. Mais vouloir amener l'aidé à changer, n'est-ce pas contraire aux exigences de l'acceptation inconditionnelle?

L'acceptation inconditionnelle ne porte pas sur le fait de vouloir ou non amener l'aidé à changer. Si celui-ci est anxieux, déprimé ou manipulateur, tout aidant se sentira le devoir d'aider cette personne à devenir plus calme, plus vivante ou plus capable d'exprimer directement ses besoins.

Il serait absurde de comprendre l'acceptation inconditionnelle comme l'obligation de laisser l'aidé à ses problèmes sous prétexte de le prendre tel qu'il est. L'acceptation inconditionnelle porte plutôt sur deux choses. D'abord sur la croyance au fait qu'il existe des raisons pour que l'aidé soit anxieux, déprimé ou manipulateur. Et ensuite, sur le fait que l'aidé ne changera probablement que d'une façon lente, laborieuse et sinueuse.

L'aidant qui pratique l'acceptation inconditionnelle croit que les humains sont fragiles et imparfaits. Il accepte la condition humaine, ce qui inclut des toxicomanes, des conjoints violents, des parents inadéquats, des dépressifs profonds et des grands anxieux, etc.

Mais cet aidant entretient aussi la croyance complémentaire à l'effet que les humains sont capables d'améliorer sensiblement leur fonctionnement personnel, pourvu qu'on éprouve envers eux et qu'on leur manifeste suffisamment de compréhension et de patience.

L'aidant acceptant reconnaît que son aidé fait partie lui aussi de la condition humaine et c'est à ce titre qu'il l'accueille, avec ses difficultés et ses résistances, avec les solutions partielles et discutables auxquelles il a recours pour régler ses problèmes.

L'accord dont il est question ici porte davantage sur la personne de l'aidé que sur le caractère adéquat de son comportement, comme si l'aidant lui disait intérieurement: «Je suis d'accord pour que tu survives, fût-ce avec les moyens inadéquats et coûteux que tu perçois présentement comme étant les seuls à ta disposition.»

Mais il y a plus. Certaines recherches tendent à établir une corrélation entre le niveau d'acceptation de soi et la capacité d'acceptation d'autrui. Truax et Carkhuff (1967, p. 315), qui citent ces recherches, ont ce commentaire: «Il se pourrait que notre capacité de ressentir la chaleur non possessive pour les sentiments et la personne de l'aidé dépende de notre capacité d'éprouver de l'acceptation inconditionnelle pour notre propre moi — une acceptation à la fois de ce qui est bon et mauvais en nous.»

Les aidants vraiment capables d'acceptation seraient donc des personnes qui auraient déjà eu l'occasion de se confronter à leur propre fragilité, à la suite d'échecs ou d'expériences difficiles dans leur vie. C'est cette conscience de leur vulnérabilité, jointe à leur observation de la condition humaine, qui les ferait accéder à la croyance suivante: «Il n'y a aucun comportement, aussi déplorable puisse-t-il être par ailleurs, qu'on ne puisse poser, lorsqu'on s'est retrouvé au préalable dans les conditions difficiles qui le préparaient» (voir Combs et Avila, 1985, p. 142).

L'AIDÉ FAIT-IL TOUJOURS CE QU'IL PEUT?

Si les aidants d'orientation rogérienne s'abstiennent de confronter, c'est qu'ils estiment que l'aidé fait toujours ce qu'il peut, compte tenu de sa capacité actuelle de faire des prises de conscience et de mobiliser ses ressources.

Les aidants portés à confronter à l'occasion disent pour leur part que l'aidé ne fait pas toujours ce qu'il peut, qu'il pourrait parfois faire plus ou mieux qu'il ne fait, si on le mettait en situation de réfléchir sur son agir et de prendre le risque de changer.

Certains aidants croient par exemple que beaucoup d'aidés restreignent leurs horizons ou se compliquent la vie avec des principes ou des façons de voir qu'ils trouveraient eux-mêmes discutables si on les amenait à les regarder de près.

La divergence entre ces deux approches est cependant moins grande qu'il ne paraît à prime abord. Un aidant expérimenté qui, en confrontant un aidé, se heurterait à une solide résistance de sa part, retirerait normalement la pression en se disant que son aidé fait présentement tout ce qu'il peut.

En agissant ainsi, cet aidant confrontant pratiquerait l'acceptation inconditionnelle au même titre que les aidants rogériens, en croyant que son aidé fait tout ce qu'il peut et en acceptant cette situation.

L'EXPLORATION ET LE CONTRÔLE

Il existe deux façons différentes de confronter. L'aidant peut dire par exemple à son aidé: «Tu as deux divorces derrière toi et tu me dis que tu veux encore divorcer. Se pourrait-il qu'il y ait dans ton fonctionnement personnel quelque chose qui soit en cause dans l'échec de tes relations de couple?»

Dans cet exemple, l'aidant se situe dans une dynamique exploratoire, c'est-à-dire qu'il essaie d'amener son aidé à prendre conscience de sa réalité personnelle. Mais l'aidant pourrait dire aussi: «Les fois précédentes, tu n'avais pas d'enfants. Cette fois-ci, tu savais ce que tu faisais et tu as des responsabilités. Tu ne trouves pas que tu devrais penser à une autre solution pour régler tes problèmes?»

Dans ce dernier cas, l'aidant se situe dans une dynamique de contrôle, c'est-à-dire qu'il essaie d'amener son aidé à agir dans un sens donné, en lui reprochant de penser comme il le fait. La figure suivante illustre ces deux dynamiques.

Cette figure illustre le fait qu'il est possible de confronter avec respect et acceptation, sans quitter la dynamique exploratoire. Mais dès que l'aidant formule un blâme, fût-ce d'une façon subtile, il quitte la dynamique exploratoire pour s'engager dans une dynamique de pression et de contrôle.

Dans la dynamique exploratoire, il y a un cycle progressif accueil-compréhension. Plus l'aidant accueille l'aidé, lui permettant de se dévoiler à son rythme, plus il a de chances de le comprendre. Et plus il le comprend, plus il lui devient facile de l'accueillir.

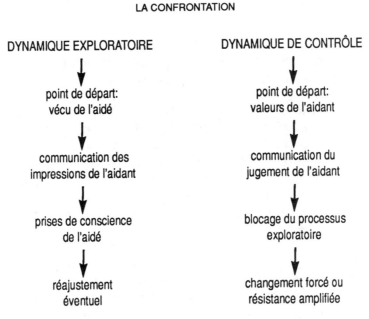

Figure 12: *Dynamique exploratoire et dynamique de contrôle.*

Dans la dynamique de contrôle, cependant, le cycle est régressif: plus l'aidant réprouve quelque chose chez l'aidé, plus celui-ci devient défensif. Plus il devient défensif, moins il se dévoile et moins l'aidant le comprend. Et moins l'aidant le comprend, plus il est porté à le juger...

LA RÉACTION À LA CONFRONTATION

Une bonne confrontation est une invitation qui est adressée à l'aidé, et elle lui est présentée comme une hypothèse approximative sur son fonctionnement. Par exemple, l'aidant dira: «Tu me dis que tu es à l'aise pour recevoir de l'affection et pour en donner, et je pense que c'est souvent vrai. Mais j'ai l'impression qu'il y a des situations où c'est plus difficile pour toi. Est-ce que ça se pourrait?»

Lorsque la confrontation se présente comme une invitation à amorcer un processus exploratoire dans lequel l'aidé sera impliqué au premier chef, la démarche a moins de chances de lui apparaître menaçante que lorsque le confronteur entreprend tout à coup de lui dire ses quatre vérités.

Mais toute intervention confrontante risque de déclencher des résistances plus ou moins fortes de la part de l'aidé. Ces résistances pourront être voilées, par exemple comme lorsque l'aidé fait mine de comprendre et d'être d'accord... et qu'il change alors de sujet. À d'autres moments, ces résistances pourront être plus apparentes, comme lorsque l'aidé entreprend systématiquement de convaincre l'aidant qu'il s'est trompé et qu'il l'a mal compris.

En règle générale, ces résistances sont un signe fiable à l'effet que l'aidé n'est pas en position de profiter de la confrontation, si juste soit-elle sur le fond de la question. Il faut se contenter d'enregistrer le fait, et permettre à l'aidé de reprendre son exploration à un niveau qui lui est plus confortable pour l'instant.

Ceci risque d'être moins stimulant pour l'aidant, mais comme on le verra dans le chapitre qui suit, les résistances de l'aidé sont un lieu privilégié où l'acceptation inconditionnelle de l'aidant trouve à s'exercer!

Les lecteurs désireux de poursuivre leur réflexion sur ce thème pourront lire le chapitre 10 du volume de G. Egan (1976, pp. 172-199).

CHAPITRE 14

Le phénomène des résistances

L'organisme humain est animé de deux tendances instinctives. La première consiste à s'ouvrir au réel, à se faire réceptif aux messages que son organisme lui envoie sous forme d'émotions et de sentiments, et à terminer ce qui est commencé.

La deuxième tendance consiste à se protéger de la douleur, et donc de l'inconfort qui annonce une douleur potentielle. Cette tendance découle directement de l'instinct de conservation de la vie, et elle se manifeste d'abord au niveau physique. C'est cette tendance qui amènera par exemple le sujet à éviter un froid ou au contraire une chaleur trop intense, ou encore à assouvir sa faim ou sa soif.

Au plan psychologique, cet instinct de survie se manifeste par l'évitement de toute source potentielle d'anxiété, c'est-à-dire de toute expérience perçue plus ou moins consciemment comme une menace à l'équilibre du moi.

LA DYNAMIQUE DE L'ANXIÉTÉ

Pour plusieurs psychologues d'orientation freudienne, le comportement d'un individu donné est en bonne partie déterminé par les stratégies que ce dernier a utilisées dans son enfance pour se défendre de l'anxiété. Posture, ton de voix, attitudes, façon d'utiliser ou de refouler son agressivité et son affection, tout cela découle des mécanismes qui ont été un jour mis en place pour éviter l'anxiété (Freud, 1966, p. 33).

L'anxiété origine à la fois des pressions internes de l'organisme (impulsions des désirs et des besoins) et des pressions externes (contraintes physiques et sociales). Plus ces pressions seront fortes, plus le sujet devra se défendre de façon rigide. À la limite, cette rigidité prendra la forme de symptômes, qu'Anna Freud (1966, p. 34) définit comme «l'utilisation invariable d'une façon spécifique de se défendre, lorsque confronté à une pression instinctuelle particulière».

Par exemple, à chaque fois que le sujet est contrarié et que sa frustration grandit, il se protège de son agressivité en coupant tout contact social et en se retirant physiquement.

L'être humain ne peut pas vivre en étant complètement ouvert à toutes les sollicitations qui émergent de son organisme ou de son environnement. Son énergie n'est pas illimitée, il lui faut se centrer sur certaines tâches urgentes, et surtout, il porte plus ou moins consciemment des vulnérabilités inscrites dans son histoire personnelle, surtout sous forme de rejets ou de menaces de rejet précoces. Il lui faut donc filtrer, contrôler, se protéger un peu, de manière à s'assurer d'un minimum de stabilité et de confort.

Si le sujet ne peut vivre sans un minimum de défenses contre l'anxiété, il a par ailleurs intérêt à identifier celles qu'il utilise, à comprendre leur origine et leur rôle, de manière à acquérir un certain pouvoir sur elles et à les assouplir, voire à se défaire éventuellement d'un certain nombre d'entre elles.

Ceci nous rapproche de la relation d'aide, car les personnes qui demandent de l'aide sont souvent insatisfaites de certaines de leurs façons de fonctionnner, ou se sentent bloquées dans une situation précise par des réactions qu'elles ne comprennent pas et qu'elles n'aiment pas, et que, par ailleurs, elles ne peuvent pas s'empêcher de manifester.

MÉCANISMES DE DÉFENSE ET RÉSISTANCES

Les mécanismes de défense sont utilisés fréquemment dans la vie quotidienne. Lorsque le sujet y a recours dans le contexte d'une relation d'aide, on leur donne alors le terme technique de résistances.

La démarche de relation d'aide découle directement de la première tendance spontanée de l'organisme humain que nous avons évoquée plus haut, c'est-à-dire la tendance à aller voir ce qui se passe. Mais cette exploration risque fort de devenir anxiogène, car la sagesse populaire sait bien que moins on en sait sur soi-même, moins on a de chances de souffrir. Ce phénomène était déjà attesté dans la Bible, il y a plus de deux mille ans: «Qui augmente le savoir augmente la douleur» (Ecclésiaste, 1, 18).

C'est pourquoi il faut s'attendre à ce que toute démarche de relation d'aide ait pour effet d'activer la deuxième tendance instinctive de l'organisme humain, qui est de se protéger de la douleur, et donc de l'inconfort qui l'annonce. Le terme de *résistance* désignera alors tous les moyens que l'aidé prendra pour éviter de ressentir et d'exprimer les sentiments, souvenirs ou idées qui le menacent, et donc pour éviter ou ralentir les prises de conscience douloureuses sur son vécu.

On peut interpréter comme une résistance tout comportement de l'aidé qui est de nature à retarder ou à diminuer son implication dans sa démarche d'exploration. Par exemple, oublier l'entrevue, se sentir bloqué, n'avoir rien à dire, intellectualiser, faire beaucoup d'humour, questionner l'aidant sur sa vie personnelle, raconter sa semaine en détail, avoir hâte que l'entrevue finisse, contredire systématiquement les interprétations avancées par l'aidant, vouloir interrompre les entrevues, se montrer sceptique face au profit retiré des rencontres, mettre la psychologie en question, attendre que l'aidant prenne les choses en main, bâiller ostensiblement, rendre les autres responsables de ses malheurs, changer d'aidant ou penser à le faire...

Voici un exemple. Une femme qui a pris beaucoup de poids et qui ne réussit pas à s'empêcher de manger d'une façon compulsive, s'exprime comme suit:

Aidée: Je n'aime pas mon physique, c'est sûr, mais je ne
          sais pas pourquoi je me laisse aller comme ça. Je
          n'étais pas comme ça avant.

Aidante: Qu'est-ce qui te porte à manger tout le temps?

Aidée: On dirait toutes les émotions bonnes ou
          mauvaises. Je ne sais pas où tout ça va me
          mener.

Aidante: As-tu une idée de ce qui a pu se passer pour que
          tu changes comme ça?

Aidée: (silence) Je ne sais pas trop. (autre silence) Tu
          sais, mon mari est un grand colérique. À toutes
          les fois qu'il fait une crise, il menace de me battre.
          Il ne le fait jamais mais ça me fait peur...

Ce bref extrait contient de nombreuses résistances de la part de l'aidée. Elle dit ne pas savoir pourquoi elle agit comme elle le fait, elle se tait à deux reprises, elle dit ne pas savoir ce qui se passe dans sa vie alors qu'elle le sait très bien.

Mais en même temps qu'elle résiste, cette personne travaille fort pour surmonter ses résistances. Par exemple, elle annonce qu'il se passe des choses dans sa vie: «Je n'étais pas comme ça avant». Puis elle annonce ses problèmes, en mentionnant les «émotions mauvaises». Elle exprime clairement sa peur: «Je ne sais pas où tout ça va me mener». Puis, après quelques hésitations, elle passe rapidement du problème formulé («Je ne peux pas m'empêcher de manger») au problème réel («Je suis mariée à un homme violent»).

La démarche de relation d'aide apparaît ainsi comme le lieu par excellence de l'ambivalence, l'aidé étant animé en même temps par deux tendances opposées, soit celle de faire la lumière sur ce qu'il vit, et celle de laisser dans l'ombre les éléments de son vécu susceptibles de lui faire vivre de l'inconfort et de l'anxiété.

On a vu plus haut que l'aidé a besoin d'un minimum de défenses pour maintenir sa cohésion interne et qu'il doit en même temps en assouplir quelques-unes et en abandonner quelques autres. Ceci nous aide à comprendre combien la relation d'aide peut s'avérer un processus délicat et exigeant, à la fois pour l'aidé et pour son aidant. La figure suivante résume l'enchaînement de ces phénomènes.

Pressions internes
et externes

Anxiété

Défenses plus
ou moins rigides

Insatisfactions
grandissantes

Exploration des
résistances

Figure 13: *Défenses et résistances dans la relation d'aide*

Les demandes d'aide sont rarement motivées par le désir explicite d'examiner de plus près son fonctionnement personnel. Plusieurs sont provoquées par un événement extérieur qui deviendra alors le déclencheur de l'exploration: divorce, congédiement, échec scolaire, conflit, etc.

Nous avons distingué plus haut entre le problème formulé en début d'entrevue et le problème réel. C'est dire que les résistances sont souvent présentes dès les toutes premières verbalisations de l'aidé. Mais lorsque le processus d'exploration s'enclenche vraiment, l'aidé a tôt fait de se voir ramené à lui-même et à son fonctionnement, et c'est là le moment privilégié pour une activation des résistances déjà à l'œuvre depuis le début.

RÉSISTANCES ET CROISSANCE PERSONNELLE

À plusieurs reprises lors de sa démarche, l'aidé se trouvera confronté à la même alternative, soit de nier sa réalité difficile par peur de l'inconfort et de l'inconnu, soit de s'ouvrir à cet inconnu, quitte à vivre de la peur et de la souffrance.

Différents auteurs interprètent les résistances de l'aidé comme une défense contre leur croissance personnelle, comme une hésitation à être et à devenir. Jourard (1963, p. 198) écrit ainsi: «On pourrait à bon droit désigner les mécanismes de défense comme des mécanismes d'auto-aliénation ou des méthodes pour éviter la croissance, puisque telles sont leurs conséquences.» May et ses collègues (1958, p. 79) conçoivent pour leur part la résistance comme «une manifestation de la tendance du patient à (...) renoncer au potentiel particulier, unique et original qui est le sien».

Sous le double éclairage de la psychanalyse et de l'existentialisme, on peut donc concevoir la résistance à la fois comme la préoccupation de ne pas avancer trop vite et de sauvegarder sa cohésion interne d'une part, et comme une invitation à réassumer la décision d'avancer dans sa croissance d'autre part. Dans ces perspectives, la résistance demande à la fois à être respectée et à être surmontée.

L'aspect nuancé des formulations qui précèdent pourra faciliter à l'aidant une attitude d'empathie et d'acceptation à l'endroit de l'aidé qui résiste. Une définition trop sommaire de la résistance peut en effet amener l'aidant à juger son aidé, par exemple si on définit la résistance comme «les moyens que nous prenons pour ne pas entrer en contact avec ce qui nous dérange».

L'aidant aura plus de chances de se sentir patient et accueillant s'il définit plutôt la résistance comme «le temps dont nous avons besoin pour nous préparer à faire face à ce qui nous dérange».

LES CAUSES DE LA RÉSISTANCE

Ayant examiné la dynamique de la résistance et ses enjeux, nous sommes maintenant en mesure de regarder de plus près ce qui se passe dans le contexte de la relation d'aide. Nous verrons successivement diverses causes de la résistance, et les façons dont l'aidant peut y faire face.

1. L'atteinte à l'image de soi

On a vu plus haut que la résistance surgit lorsque le sujet devient anxieux. S'il en est ainsi, c'est souvent, d'une façon plus précise, parce que les événements extérieurs ou ses propres émotions viennent le menacer dans son image de soi ou concept de soi.

Le concept de soi est constitué de l'ensemble des représentations que le sujet se fait de lui-même: il a tel physique, se reconnaît telles ressources et telles qualités, s'identifie à telles relations et telles possessions, s'attribue tels goûts et intérêts, et finalement, il évolue dans tel statut et tels rôles. Ainsi structuré, le concept de soi devient le point de repère central permettant au sujet de se situer dans le monde, d'absorber un flot continuel d'émotions et d'expériences, et de survivre en prenant pour le mieux les mille décisions quotidiennes qu'il lui faut prendre.

Toute émotion ou expérience venant contredire le concept de soi sera donc anxiogène, dans la mesure où elle viendra ébranler les fondements mêmes de la stabilité et de la sécurité du sujet. Par exemple, celui-ci se perçoit depuis vingt ans comme un époux fidèle, et voilà qu'il éprouve de l'attrait pour une autre femme. Ou il se perçoit comme un croyant sincère, et voilà qu'il se surprend à douter de certaines croyances de base de sa religion.

Dans un tel contexte, la résistance pourra prendre les formes que l'on a énumérées plus haut, de même que la forme de la négation pure et simple: «Je ne suis pas vraiment attiré par cette femme», ou la forme de la reformulation: «Je ne suis pas vraiment en train de changer dans ma foi, je suis juste en train de mettre des mots nouveaux sur mes croyances de toujours...»

2. L'atteinte à l'estime de soi

Le concept de soi est plutôt d'ordre cognitif: il représente ce que le sujet s'imagine être, à tort ou à raison. L'estime de soi est plutôt d'ordre affectif: le sujet se sent plus ou moins bien face à ce qu'il s'imagine être. Une personne dont l'estime de soi est élevée se sentira bien dans sa peau, confiante dans ses ressources et portée à se valoriser. À l'inverse, une personne dont l'estime de soi est faible se sentira plutôt dépressive, peu portée à se faire confiance et portée à se dévaloriser.

Or, le simple fait de se retrouver devant quelqu'un d'autre pour lui demander de l'aide peut facilement constituer un aveu d'impuissance et un constat d'échec. Alors que la société valorise l'indépendance, la personne qui demande de l'aide a l'impression de véhiculer le message suivant: «Je suis incapable de m'en tirer toute seule. Contrairement à tout le monde, je n'ai pas les ressources et la force nécessaires pour régler mes problèmes par moi-même...»

Ce phénomène est de nature à rendre le sujet ambivalent et résistant, comme si une partie de lui-même était portée à maintenir le sentiment de sa compétence, par exemple en reportant le blâme sur les autres ou en niant ses problèmes, alors que l'autre partie tente justement de reconnaître ces problèmes et d'identifier sa part de responsabilité face à eux.

3. La fuite des appels intérieurs

On entend souvent des gens dire: «Je sais ce que je devrais faire, mais ça ne me tente pas.» Par exemple, une personne dit: «Ma vie aurait bien plus de sens si je travaillais seulement à mi-temps, mais j'aime trop mon confort pour me décider.»

Quand vient le temps de donner un coup de barre, les résistances surgissent, par peur de devoir changer, ou simplement par peur de l'inconnu. Le psychologue Maslow (1976, p. 34) appelle ce phénomène «le complexe de Jonas», d'après le personnage biblique qui tentait de fuir ce qu'il sentait qu'il devait faire.

Cette évasion de soi-même et du chemin qui est le sien, à cause des complications redoutées, correspond à cette résistance existentielle qu'on a évoquée plus haut.

4. La réaction à une prise de conscience

Rogers (1970, p. 206) fait remarquer qu'«après que le client soit parvenu à une nouvelle perception particulièrement vitale, le psychologue doit s'attendre à observer une rechute momentanée». Intimidé par sa prise de conscience, l'aidé a le réflexe d'en limiter la portée, comme s'il voulait se prémunir contre les implications de cette admission.

Une aidée exprime de fortes insatisfactions à l'endroit de son conjoint, et son aidante note: «Elle a semblé se défouler en parlant; sa voix est devenue plus forte, laissant transparaître beaucoup de colère.» Mais intimidée par cette colère, qui était peut-être réprimée depuis des années et qui vient menacer l'équilibre de son couple, l'aidée entreprend de nier ce qu'elle vient d'admettre. L'aidante confie que son aidée termine l'entrevue «en disant qu'au fond, elle n'était pas si malheureuse que ça, que tout était dans sa tête, et qu'elle amplifiait son problème».

Comme le note Rogers, cette résurgence des résistances n'est habituellement que momentanée, et lorsqu'il a un peu repris son souffle, l'aidé continue à progresser dans l'appropriation du problème qu'il avait eu tendance à méconnaître jusqu'ici.

5. Le désir d'autonomie

La résistance à l'implication s'explique parfois simplement par le fait que l'aidé estime avoir effectué le cheminement qu'il avait à faire, et qu'il a confusément cessé de percevoir la relation d'aide comme stimulante pour lui.

Cette forme de résistance est saine, puisqu'elle exprime le désir de l'aidé de terminer une relation qui s'approche de fait de son terme, et de voler maintenant de ses propres ailes.

6. La résistance à une erreur de l'aidant

Plusieurs résistances sont enfin attribuables à des erreurs de l'aidant. Celui-ci peut intervenir hors de propos et interrompre un silence productif, il peut blâmer plus ou moins subtilement son aidé, ou encore lui suggérer une interprétation erronée ou prématurée. Dans ces cas et dans bien d'autres, les erreurs de l'aidant pourront se traduire par une baisse de l'implication de l'aidé.

Ces situations sont si fréquentes que Beaudry et Boisvert (1988, p. 187) ne craignent pas d'écrire: «Si un thérapeute réalise que ses interventions sont peu efficaces, il doit d'abord faire sa propre autocritique.»

Les erreurs les plus fréquentes de la part de l'aidant sont probablement les interventions évaluatives, telles qu'on les a examinées au Chapitre 10. Outre les interventions évaluatives, celui-ci peut évidemment commettre une foule d'autres erreurs. Par exemple, il peut intervenir trop souvent, mal refléter, focaliser hors de propos, etc. C'est pourquoi il ne faut pas rejeter trop vite sur les épaules de l'aidé la responsabilité de ses résistances, lorsque celles-ci surviennent.

Ceci dit, il serait par contre excessif d'imputer à l'aidant la responsabilité de toutes les résistances de l'aidé, comme

Rogers (1970, p. 155) semble le faire dans le passage suivant: «La résistance à la thérapie et au thérapeute n'est ni une phase inévitable ni une phase désirable de la psychothérapie, mais elle naît (...) des efforts maladroits du thérapeute pour accélérer le processus thérapeutique.»

L'aidant peut se tromper parce qu'il manque d'expérience et que de toute façon, il opère toujours avec une marge de risque. Mais même avec un aidant infaillible, la relation d'aide demeurerait pour l'aidé une aventure pénible, au moins par moments, et rares sont ceux qui assument toutes leurs souffrances sans jamais hésiter.

LES RÉACTIONS DE L'AIDANT

Le fait de se trouver en présence d'un aidé qui résiste représente un test pour l'aidant, au triple niveau de l'empathie, de la considération positive et de l'authenticité.

Au niveau de l'empathie d'abord, il arrive que moins l'aidant est capable de voir et de sentir les choses du point de vue de son aidé, plus il sera porté à devenir évaluatif lorsque celui-ci vivra de la résistance: «Il ne veut pas changer», «Il a peur de tout», «Il perd son temps et me fait perdre le mien»...

Inversement, plus l'aidant est empathique et plus il sera en mesure de comprendre que dans la situation concrète où son aidé se trouve et compte tenu de ce qu'il a vécu jusqu'ici, il est normal que celui-ci se sente menacé par ce qui est en train de se passer présentement.

Au niveau de la considération positive ensuite: un aidant profondément accueillant admettra que les gens ont le droit d'être comme ils sont, de se protéger et de se défendre comme ils le font, qu'on change rarement d'un coup et que la perspective de changer nous trouve toujours plus ou moins ambivalents.

Au niveau de l'authenticité enfin: il n'est pas toujours facile pour un aidant de s'avouer à lui-même qu'il est évaluatif, impatient ou agressif envers un aidé qui résiste. Le premier test de l'authenticité consiste donc dans cette admission: «Bon, voilà que mon aidé décide de ralentir la marche, alors que moi j'aurais le goût qu'on continue d'aller de l'avant; voilà que mon aidé continue d'intellectualiser alors que j'aurais le goût qu'il prenne contact avec ses sentiments non reconnus, etc.»

Quant au deuxième test de l'authenticité, il consiste pour l'aidant à décider s'il va exprimer sa déception ou son impatience à son aidé. «Je suis un peu déçu de ce qui se passe présentement. Je pensais que tu reviendrais sur la prise de conscience que tu as faite la semaine dernière, et qu'on regarderait ce que ça peut changer pour toi. Mais en même temps je me dis que si j'étais à ta place, j'agirais probablement comme toi...»

Rappelons toutefois que l'objectif ultime de l'aidant n'est pas de tout exprimer ce qu'il ressent à l'endroit de son aidé, mais de discerner entre ce qu'il peut être utile à celui-ci d'entendre, et ce qu'il est préférable de garder pour lui-même. Nous reviendrons plus bas sur cette question. Pour l'instant, nous examinerons les types d'intervention auxquelles l'aidant peut avoir recours lorsqu'il s'aperçoit que son aidé résiste.

1. Noter mais ne pas intervenir

L'expression d'une résistance fait partie de l'ensemble de ce que l'aidé dévoile par ses comportements verbaux et non verbaux. Or, le rôle de l'aidant n'est pas de contrôler tout ce qui se passe dans l'entrevue, mais simplement d'intervenir de temps à autre pour stimuler l'exploration de son aidé.

Face à un aidé qui résiste, l'aidant peut se limiter à enregistrer simplement le fait que celui-ci est en train de contrôler son anxiété. Il peut également en profiter pour tenter de mieux comprendre le style personnel par lequel cet aidé a appris à se défendre, quitte à revenir plus tard sur ce fonctionnement, si cela s'avère utile.

2. Offrir des supports légers

L'aidé n'a parfois besoin que d'une brève intervention pour surmonter lui-même sa résistance et revenir à un niveau d'implication productif. Ces interventions pourront prendre la forme de reflets chaleureux: «Ce n'est pas facile de parler de ça, hein!», ou: «Je sens que tu n'as pas trop le goût de parler de lui, mais en même temps, je sens que c'est important pour toi d'en parler...»

3. Accepter ou amener des diversions temporaires

Un aidant efficace serre habituellement de près son aidé, par des reflets précis et pénétrants et par des focalisations bien ciblées. Ces interventions ont pour effet de maintenir une légère pression sur l'aidé, de manière à garder celui-ci actif et productif dans son exploration.

Lorsque l'aidant sent que les résistances exprimées sont plus profondes, il doit éviter de tenter de se centrer sur elles, comme au numéro précédent. Il pourra alors retirer la pression, par exemple en acceptant que l'aidé change de sujet ou de niveau d'implication ou en réorientant lui-même l'exploration vers un contenu moins menaçant.

Par exemple, au lieu d'exprimer par sa physionomie et sa posture qu'il est très attentif parce qu'il croit qu'il se passe des choses significatives, l'aidant pourra plutôt communiquer à l'aidé qu'il sent que celui-ci a fait ce qu'il a pu pour avancer sur cette question, et qu'il pourra y revenir à un autre moment.

4. Interpréter ou confronter

Lorsqu'il sent son aidé suffisamment d'aplomb et prêt à faire une prise de conscience, l'aidant pourra tenter une interprétation ou même une confrontation. Les chapitres qui y sont consacrés nous donnent une idée des enjeux de ces interventions.

5. Prévenir la résistance

Pour éviter de susciter des résistances inutiles, il est souvent bon d'utiliser d'abord la version atténuée d'un sentiment potentiellement menaçant, plutôt que de nommer directement celui-ci. Par exemple, plutôt de dire «Ça te fait peur», dire: «Il y a quelque chose qui te rend inconfortable là-dedans.» Ou encore, plutôt de dire: «Ça te met en colère quand elle dit ça», dire: «Il y a quelque chose que tu n'aimes pas quand elle parle comme ça.»

Ces adoucissements ne seront que temporaires, puisqu'il s'agit bien sûr d'aider le sujet à entrer réellement en contact avec sa peur ou sa colère, plutôt que de les maquiller par des mots plus confortables. Mais cette approche, suivie de reflets progressivement plus précis, et au besoin accompagnée de légers supports, permet à l'aidé de s'apprivoiser un peu à son vécu, et donc de surmonter par le fait même ses résistances spontanées.

Voici un exemple. Suite à une attaque par un bénéficiaire agité, un préposé a obtenu de travailler avec un collègue. Mais il apprend que ce dernier poste vient d'être coupé et qu'il se retrouvera de nouveau seul le soir dans son département.

Aidante: Ça semble t'inquiéter de devoir recommencer à travailler seul?

Aidé: Non, non, c'est pas ça...

(plus loin dans l'entrevue)

Aidante: Ça ne doit pas être facile de te retrouver dans cette situation...

Ici, l'aidante évoque de nouveau la peur, mais très délicatement, en même temps qu'elle donne habilement un léger support. Cette fois-ci, les résistances sont évitées, et l'aidé commence à verbaliser ses craintes.

LA QUESTION DES SILENCES

Les silences fréquents et prolongés sont d'habitude un signe assez clair de résistance. L'aidé a peur de nommer ce qui l'habite et il se protège en ne disant rien, ou même en s'empêchant plus ou moins consciemment de penser à quoi que ce soit. Il peut alors être tout à fait sincère lorsqu'il affirme n'avoir «rien à dire».

Mais les silences peuvent être bien d'autres choses que des résistances. Dans ce que l'on pourrait appeler les *silences d'intégration*, l'aidé se fait présent à ce qu'il vient d'exprimer, ou aux échanges qui viennent de survenir entre son aidant et lui. Il réfléchit sur tout cela, tentant de voir ce que ça lui fait et ce que ça lui dit.

Dans les *silences d'exploration*, l'aidé a fini de se faire présent à ce qui a été abordé. Il estime avoir suffisamment réfléchi pour l'instant sur ce matériel, et il s'est mis à l'écoute de lui-même pour tenter de distinguer la piste dans laquelle il aurait le plus profit à s'engager maintenant.

L'aidé peut aussi vivre un *silence de préparation*. Il a identifié un aspect de son vécu ou de sa réflexion sur lequel il sent qu'il aurait profit à se centrer. Mais les choses sont complexes et lui font peur un peu, et il est en train de s'approcher à son rythme de ce matériel.

Enfin, par le *silence de transition*, l'aidé tente d'exprimer à son aidant qu'il estime avoir fait sa part, et qu'il s'attend maintenant à ce que celui-ci s'exprime à son tour, soit pour refléter, focaliser, résumer, soumettre une interprétation...

Face à tout silence, l'aidant a donc un travail de discernement à faire. S'agit-il d'une résistance, et si oui, quelle en est la cause? S'agit-il d'un silence productif ou d'un silence qui a cessé de l'être? S'agit-il d'un silence qui véhicule une demande et si oui, comment ai-je le goût d'y répondre?

Les réponses ne sont pas toujours évidentes et pour y voir plus clair, l'aidant peut tout simplement inviter son aidé à préciser ce qui est en train de se passer.

Voilà qui conclut notre exploration du phénomène des résistances. Le fait de réussir à affronter ces dernières n'est pas une simple difficulté de parcours, mais il est souvent l'enjeu majeur de la relation d'aide.

Une victoire digne de ce nom ne se remporte souvent qu'au prix d'hésitations, de replis stratégiques et de blocages provisoires. Le fait de pouvoir faciliter ce cheminement de libération et de croissance représente un privilège pour l'aidant. Et la meilleure façon pour celui-ci de se préparer à accueillir ce privilège n'est-elle pas de tenter de devenir le plus adéquat possible dans son rôle?

Beaucoup de recherches démontrent qu'il est possible pour un aidant en formation de développer ses habiletés. Par exemple, les aidants qui ont reçu une formation et qui ont pris de l'expérience sont portés à poser moins de questions et à donner moins de conseils, à faire plus d'interprétations et de confrontations, à être plus acceptants mais à donner moins de supports verbaux, et enfin, à varier davantage leurs types d'interventions en fonction de ce qui est vécu et exprimé par l'aidé (voir Tracey et al., 1988, p. 119).

C'est pour favoriser ces différents apprentissages que nous avons écrit le présent volume. Les points de repère qu'il contient devraient permettre à tous ses utilisateurs d'apprendre à maîtriser différents types d'intervention. Il leur restera ensuite à découvrir, par essais et erreurs, à quel moment ces différentes interventions sont les plus appropriées.

Quatre échelles des interventions de l'aidant

Le psychologue Robert Carkhuff (1969, pp. 315-329) a mis au point des échelles destinées à évaluer la performance de l'aidant au niveau de différentes dimensions. Ces échelles peuvent servir à des fins de recherche, mais elles pourraient également être utiles au lecteur qui voudrait se faire une idée approximative du degré de développement de certaines de ses habiletés.

C'est dans ce but que nous présentons ici quelques-unes de ces échelles, que nous avons illustrées par des exemples de notre cru.

LA COMPRÉHENSION EMPATHIQUE

Aidé: «Mon épouse a la manie de me comparer aux voisins quand elle n'est pas satisfaite de moi.»

Niveau 1: L'aidant n'est pas en contact avec ce que l'aidé est en train de vivre. Il est peut-être tendu, distrait, fatigué. Il répond:

«Est-ce que vous avez des relations étroites avec vos voisins?»

Niveau 2: L'aidant reflète d'une façon embrouillée ce qui est communiqué par l'aidé. Il répond:

«Ça vous ennuie de vous faire répéter que vous êtes moins bon qu'eux».

Niveau 3:   L'aidant traduit en d'autres mots ce qui est exprimé par l'aidé. Il répond:

«Quand vous ne répondez pas à ses attentes, elle vous le fait sentir indirectement.»

Niveau 4:   L'aidant ajoute à ce qui est exprimé en reflétant le vécu sous-jacent. Il répond:

«Ça vous agace qu'elle prenne des détours.»

Niveau 5:   L'aidant reflète le vécu sous-jacent, tout en communiquant qu'il comprend ce vécu. Il répond:

«Ça serait bon d'être capable de vous parler franchement, votre épouse et vous, n'est-ce pas?»

LA COMMUNICATION DU RESPECT

Aidé: «Quand il a appris que j'étais enceinte il y a un mois, il a cessé de me voir et je n'ai pas eu de ses nouvelles depuis.»

Niveau 1:   L'aidant communique verbalement et non verbalement un manque de respect évident pour le vécu de l'aidé. Il répond:

«Ça ne sert à rien de vous apitoyer sur votre sort. Le passé est le passé.»

Niveau 2:   L'aidant manifeste peu de respect pour le vécu et le potentiel de l'aidé, soit en ignorant certains de ses sentiments, soit en y répondant de façon impersonnelle. Il répond:

«Il faut que vous preniez vos responsabilités, même si vous êtes seule.»

Niveau 3:   L'aidant communique du respect et de la préoccupation pour le vécu de l'aidé et pour sa capacité d'y faire face. Il répond:

«Ça doit être difficile d'assumer seule votre situation comme vous le faites.»

Niveau 4: L'aidant communique un profond respect pour le vécu et la personne de l'aidée. Il répond:

«Ça me touche, ce qui vous arrive, et je suis heureux de voir qu'en venant ici, vous vous donnez les moyens de passer au travers.»

Niveau 5: L'aidant communique un profond respect pour le vécu de l'aidée et pour son devenir. Il répond:

«Ce que vous vivez, cela m'atteint, et je suis prêt à faire mon possible pour vous aider à vivre cette expérience au mieux.»

LA RÉVÉLATION DE SOI

Aidée: «Quand je parle de ma peur de mourir, j'ai l'impression que vous n'aimez pas cela. Avez-vous l'impression que je perds mon temps quand je parle de ça?»

Niveau 1: L'aidant demeure à distance de l'aidée et ne lui révèle aucun de ses sentiments:

«Vous ne vous sentez pas productive quand vous réfléchissez sur cette question?»

Niveau 2: L'aidant répond brièvement à la question de l'aidée, sans dépasser les limites de cette question précise:

«De fait, je ne peux pas dire que c'est un sujet qui me réjouit, mais je suis ici pour vous.»

Niveau 3:   L'aidant prend l'initiative de s'impliquer, mais sans être trop précis et sans donner l'impression de vouloir s'impliquer davantage:

«C'est probablement parce que j'ai perdu mon père il y a quelque temps, mais je suis prêt à continuer à vous suivre sur ce sujet.»

Niveau 4:   L'aidant s'implique spontanément au niveau de son vécu:

«Vous voyez juste. Mon père est décédé subitement le mois passé, et je n'ai pas fini d'intégrer cette expérience. Est-ce que ça vous éclaire un peu?»

Niveau 5:   L'aidant s'implique sans réserve, en formulant d'une façon positive les contenus qui pourraient remettre l'aidée en question:

«Je suis heureux que vous releviez cela. Mon père est décédé il y a un mois, alors qu'on commençait à se rapprocher tous les deux. Pour moi, la mort est venue interrompre quelque chose de bon. Cela explique peut-être mes réactions quand vous dites que la mort règle bien des choses...»

LA SPÉCIFICITÉ DE L'EXPRESSION

Aidé: «Je viens de finir un livre sur la sexualité chez l'homme de quarante ans. C'est surprenant de voir combien il y a de dizaines de livres sur le sujet...

Niveau 1:   L'aidant laisse l'échange se dérouler à un niveau impersonnel et vague:

«Oui, j'en ai lu un il n'y a pas longtemps, moi aussi, et ce livre en était à sa cinquième réimpression...»

Niveau 2: L'aidant laisse l'échange se dérouler à un niveau personnel mais vague:

«Oui, c'est intéressant d'analyser les complexités de ce qu'on peut ressentir à quarante ans...»

Niveau 3: L'aidant amène parfois l'échange à un niveau spécifique et concret, mais sans poursuivre très loin:

«Quarante ans, c'est à peu près votre âge. Vous êtes-vous retrouvé dans ce livre?»

Niveau 4: L'aidant amène souvent l'échange à un niveau spécifique et concret, et le maintient à ce niveau:

«L'homme de quarante ans, c'est vous. J'aimerais qu'on regarde ensemble comment vous avez réagi en lisant ce livre.»

Niveau 5: L'aidant facilite l'expression directe du vécu de l'aidé à un niveau spécifique et concret:

«L'homme de quarante ans, c'est vous. Comment vous sentez-vous présentement face à votre sexualité, en pensant à ce livre?»

Ces échelles permettent d'identifier des façons sensiblement différentes d'intervenir auprès de l'aidé. Le principe sous-jacent est que les interventions situées aux niveaux 1 et 2 risquent d'être inefficaces, sinon de ralentir carrément le processus exploratoire de l'aidé, alors que celles situées aux niveaux 4 et 5 sont les plus stimulantes.

Il faut toutefois nuancer ce principe, à partir de la disponibilité réelle de l'aidé. En principe, celui-ci retire davantage de profit des interventions plus stimulantes des niveaux 4 et 5. Mais en pratique, l'aidé n'est pas toujours prêt à accueillir ce type d'intervention et à en profiter, surtout dans la première phase de sa démarche.

L'aidé utilise habituellement cette première phase pour s'acclimater à la démarche, pour s'apprivoiser à l'aidant, et pour amorcer à son rythme l'exploration de son vécu.

Lors de cette phase, l'utilisation massive par l'aidant d'interventions de niveaux 4 et 5 risquerait de s'avérer inutilement menaçante ou bousculante pour l'aidé, et par conséquent de ralentir le rythme de son exploration.

C'est pourquoi Carkhuff estime que lors de cette première phase, ce sont les interventions de niveau 3 qui ont le plus de chances d'être confortables pour l'aidé et de le préparer aux interventions plus stimulantes des phases subséquentes.

L'objectif de l'aidant doit toujours être non pas de réaliser des performances, mais de se mettre efficacement au service de son aidé. À cet égard, une intervention apparemment banale mais utilisée par l'aidé est préférable à une intervention brillante mais qui demeurerait inutilisée parce que non pertinente ou prématurée. C'est pourquoi l'aidant doit constamment sentir où son aidé se trouve présentement, avant de calibrer ses interventions.

Liste des auteurs cités

BARRETT-LENNARD, G., 1985, The Helping Relationship: Crisis and Advance in Theory and Research, *Counseling Psychologist*, Vol. 13, No. 2.

BEAUDRY, M., BOISVERT, J.-M., 1988, *Psychologie du couple*, Montréal, Méridien.

BECK, C., 1963, *Philosophical Foundations of Guidance*, Englewood Cliffs, Prentice-Hall.

BLOCHER, D., 1966, *Developmental Counseling*, New York, The Ronald Press Company.

BRAMMER, L, SHOSTROM, E., 1968, *Therapeutic Psychology — Fundamentals of Actualization Counseling and Psychotherapy*, Second Edition, Englewood Cliffs, Prentice-Hall.

CARKHUFF, R., 1969, *Helping and Human Relations*, Vol. 2, New York, Holt, Rinehart and Winston.

CARKHUFF, R., 1983, *Sources of Human Productivity*, Amherst, Ma., Human Resource Development, cité par KURPIUS, D., 1985, Consultation Interventions: Successes, Failures and Proposals, dans *Counseling Psychologist*, Vol. 13, No. 3, p. 370.

CARKHUFF, R., BERENSON, B., 1967, *Beyond Counseling and Therapy*, New York, Holt, Rinehart and Winston.

CHAREST, J., 1989, Les quatre ingrédients indispensables à la guérison thérapeutique, *Revue québécoise de psychologie*, Vol. 10, No. 2, pp. 2-29.

COMBS, A., AVILA, D., 1985, *Helping Relationships, Basic Concepts for the Helping Professions*, 3rd Edition, Boston, Allyn and Bacon.

COREY, G., 1986, *Theory and Practice of Counseling and Psychotherapy*, 3rd Edition, Brooks/Cole Publishing Co., Monterey, California.

EGAN, G., 1976, *Interpersonal Living, A Skill-Contract Approach to Human-Relations Training in Groups*, Monterey, California, Brooks—Cole Publishing Company.

FREUD, A., 1966, *The Ego and the Mechanisms of Defense*, Revised Edition, International University Press, (c. 1936).

GLADSTEIN, G. et al., 1987, *Empathy and Counseling, Explorations in Theory and Research*, New York, Springer-Verlag.

HAMACHEK, D., 1971, *Encounters with the Self*, New York, Holt, Rinehart and Winston.

JOURARD, S., 1963, *Personal Adjustment — An Approach through the Study of Healthy Personality*, Second Edition, London, Collier- Macmillan (c. 1958).

JOURARD, S., 1971, *The Transparent Self*, Second Edition, New York, Van Nostrand.

JUNG, C., 1962, *L'homme à la recherche de son âme*, Paris, Payot.

JUSTES, E., 1985, Women, dans WICKS, R., PARSONS, R., CAPPS, D., *Clinical Handbook of Pastoral Counseling*, New York, Paulist Press.

KENNEDY, E., 1980, *On Becoming a Counselor*, New York, Continuum.

KINGET, M., ROGERS, C., 1965, *Psychothérapie et relations humaines*, Vol, 2, 2º édition, Montréal, Institut de Recherches Psychologiques (c. 1959).

LAPIERRE, H., VALIQUETTE, M., 1984, L'acting-out en psychothérapie, Une histoire à suivre, *Psychologie Québec*, Vol. 1, No. 4.

LAPIERRE, H., VALIQUETTE, M., 1989, *J'ai fait l'amour avec mon thérapeute*, Montréal, Editions Saint-Martin.

LAPLANCHE, J., PONTALIS, J.-B., 1973, *The Language of Psycho-Analysis*, New York, Norton (c. 1967).

LECOMPTE, C., GENDREAU, P., 1984, Sexualité, intimité et relation d'aide, *Psychologie Québec*, Vol. 1, No. 4.

LOWEN, A., 1983, *La peur de vivre*, Paris, EPI (c. 1981).

MASLOW, A., 1968, Some Educational Implications of the Humanistic Psychologies, *Harvard Educational Review*, Vol. 38, No. 4.

MASLOW, A., 1976, *The Farthest Reaches of Human Nature*, New York, Penguin Books, (c. 1971).

MAY, R., ANGEL, E., ELLENBERGER, H., 1958, *Existence*, New York, Basic Books, cités par BRAMMER et SHOSTROM, 1968, p. 255.

MUCCHIELLI, R., 1967, *L'entretien de face à face dans la relation d'aide — Connaissance du problème*, Librairie Technique/Editions Sociales Françaises.

ROBBINS, S., JOLKOVSKI, M., 1987, Managing Countertransference Feelings: An Interactional Model Using Awareness of Feeling and Theoretical Framework, *Journal of Counseling Psychology*, Vol. 34, No. 3, pp. 276-282.

ROGERS, C., 1972 (c. 1961), *Le développement de la personne*, Paris, Dunod.

ROGERS, C., 1970 (c. 1942), *La relation d'aide et la psychothérapie*, Vol. 1, Paris, Les Éditions Sociales Françaises.

ROGERS, C., SANFORD, R., 1985, *Client-centered psychotherapy*, dans KAPLAN, H., SADOCK, B., *Comprehensive Textbook of Psychiatry*, 4th Edition, Baltimore, Williams and Wilkins, pp. 1374-1388.

SAINT-ARNAUD, Y., 1979a, *La dynamique expert-facilitateur dans la relation d'aide individuelle*, document polycopié.

SAINT-ARNAUD, Y., 1979b, *La dynamique expert-facilitateur et le rôle de consultant*, document polycopié.

TRACEY, T., HAYS, K., MALONE, J., HERMAN, B., 1988, Changes in Counselor Response as a Function of Experience, *Journal of Counseling Psychology*, Vol. 35, No. 2, pp. 119-126.

TRAVELBEE, J., 1964, What's Wrong with Sympathy?, *American Journal of Nursing*, January, pp. 68-71.

TRUAX, C., CARKHUFF, R., 1967, *Toward Effective Counseling and Psychotherapy: Training and Practice*, Chicago, Aldine.

Index des figures

Achevé Imprimerie
d'imprimer Gagné Ltée
au Canada Louiseville